BLANC 2

McDOUGAL LITTELL

Discovering FRENCH Nouveau!

Unit 8 Resource Book

Components authored by Jean-Paul Valette and Rebecca M. Valette:

- Workbook
- Communipak
- Assessment Program
- Video Program
- Audio Program

Components authored by Sloane Publications:

- Family Letter, *Patricia Smith*
- Absent Student Copymasters, *E. Kristina Baer*
- Family Involvement, *Patricia Smith*
- Multiple Choice Test Items, *Patricia Smith*

Other Components

- Video Activities, *T. Jeffrey Richards, Philip D. Korfe, Consultant, Patricia L. Ménard*
- Comprehensive (Semester) Tests, *T. Jeffrey Richards*
- Activités pour tous, *Patricia L. Ménard*

ISBN: 0 - 618 - 29894 - 0

2 3 4 5 6 7 8 9 — MDO — 07 06 05 04 03

Table of Contents

Unité 8. Bonnes vacances!

To the Teacher v

LEÇON 29 Le français pratique: Les vacances et les voyages 1

Workbook TE 1
Activités pour tous TE 9
Lesson Plans 12
Block Scheduling Lesson Plans 15
Family Letter 16
Absent Student Copymasters 17
Family Involvement 20
Video Activities 22
Videoscripts 27
Audioscripts 29
Lesson Quiz 37

LEÇON 30 Les collections de Jérôme 39

Workbook TE 39
Activités pour tous TE 45
Lesson Plans 48
Block Scheduling Lesson Plans 50
Absent Student Copymasters 52
Family Involvement 56
Video Activities 58
Videoscripts 66
Audioscripts 67
Lesson Quiz 73

LEÇON 31 Projet de voyage 75

Workbook TE 75
Activités pour tous TE 81
Lesson Plans 84
Block Scheduling Lesson Plans 86
Absent Student Copymasters 88
Family Involvement 93
Video Activities 95
Videoscripts 102
Audioscripts 103
Lesson Quiz 109

LEÇON 32 À la gare 111

Workbook TE 111
Activités pour tous TE 117
Lesson Plans 120
Block Scheduling Lesson Plans 122
Absent Student Copymasters 125
Family Involvement 129
Video Activities 131
Videoscripts 139
Audioscripts 140
Lesson Quiz 145

Communipak 147
Activités pour tous, Reading TE 169
Workbook TE Reading and Culture Activities 173
Assessment
- Unit Test Form A 183
- Unit Test Form B 188
- Listening Comprehension Performance Test 193
- Speaking Performance Test 195
- Reading Comprehension Performance Test 199
- Writing Performance Test 203
- Multiple Choice Test Items 206
- Test Scoring Tools 211
- Audioscripts 213

Answer Key 217

To the Teacher

The Unit Resource Books that accompany each unit of *Discovering French, Nouveau!–Blanc* provide a wide variety of materials to practice, expand on, and assess the material in the *Discovering French, Nouveau!–Blanc* student text.

Components

Following is a list of components included in each Unit Resource Book, correlated to each **Leçon:**

- Workbook, Teacher's Edition
- *Activités pour tous*, Teacher's Edition
- Lesson Plans
- Block Scheduling Lesson Plans
- Family Letter
- Absent Student Copymasters
- Family Involvement
- Video Activities
- Videoscripts
- Audioscripts
- Lesson Quizzes

Unit Resources include the following materials:

- Communipak
- *Activités pour tous* Reading, Teacher's Edition
- Workbook Reading and Culture Activities, Teacher's Edition
- Lesson Plans for *Images*
- Block Scheduling Lesson Plans for *Images*
- Assessment
  - Unit Test
  - Listening Comprehension Performance Test
  - Speaking Performance Test
  - Reading Comprehension Performance Test
  - Writing Performance Test
  - Multiple Choice Test Items
  - Comprehensive Test
  - Test Scoring Tools
- Audioscripts
- Videoscripts for *Images*
- Answer Key

Component Description

Workbook, Teacher's Edition

The *Discovering French, Nouveau!–Blanc* Workbook directly references the student text. It provides additional practice to allow students to build their control of French and develop French proficiency. The activities provide guided communicative practice in meaningful contexts and frequent opportunity for self-expression.

Activités pour tous, Teacher's Edition

The activities in *Activités pour tous* include vocabulary, grammar, and reading practice at varying levels of difficulty. Each practice section is three pages long, with each page corresponding to a level of difficulty (A, B, and C). A is the easiest and C is the most challenging.

Lesson Plans

These lesson plans follow the general sequence of a *Discovering French, Nouveau!–Blanc* lesson. Teachers using these plans should become familiar with both the overall structure of a *Discovering French, Nouveau!–Blanc* lesson and with the format of the lesson plans and available ancillaries before translating these plans to a daily sequence.

Block Scheduling Lesson Plans

These plans are structured to help teachers maximize the advantages of block scheduling, while minimizing the challenges of longer periods.

Family Letter and Family Involvement

This section offers strategies and activities to increase family support for students' study of French language and culture.

Absent Student Copymasters

The Absent Student Copymasters enable students who miss part of a **Leçon** to go over the material on their own. The Absent Student Copymasters also offer strategies and techniques to help students understand new or challenging information. If possible, make a copy of the CD, video, or DVD available, either as a loan to an absent student or for use in the school library or language lab.

Video Activities and Videoscript

The Video Activities that accompany the Video or DVD for each module focus students' attention on each video section and reinforce the material presented in the module. A transcript of the Videoscript is included for each **Leçon.**

Audioscripts

This section provides scripts for the Audio Program and includes vocabulary presentations, dialogues, readings and reading summaries, audio for Workbook and Student Text activities, and audio for Lesson Quizzes.

Communipak

The Communipak section contains five types of oral communication activities introduced sequentially by level of challenge or difficulty. Designed to encourage students to use French for communication in conversational exchanges, they include *Interviews*, *Tu as la parole*, *Conversations*, *Échanges*, and *Tête à tête* activities.

Assessment

Lesson Quizzes

The Lesson Quizzes provide short accuracy-based vocabulary and structure assessments. They measure how well students have mastered the new conversational phrases, structures, and vocabulary in the lesson. Also designed to encourage students to review material in a given lesson before continuing further in the unit, the quizzes provide an opportunity for focused cyclical re-entry and review.

Unit Tests

The Unit Tests are intended to be administered upon completion of each unit. They may be given in the language laboratory or in the classroom. The total possible score for each test is 100 points. Scoring suggestions for each section appear on the test sheets. The Answer Key for the Unit Tests appears at the end of the Unit Resource Book.

There is one Unit Test for each of the nine units in *Discovering French, Nouveau!–Blanc*. Each test is available in two versions: Form A and Form B. A complete Audioscript is given for the listening portion of the tests; the recordings of these sections appear on CDs 9–12.

Listening Comprehension Performance Test

The Listening Comprehension Test is designed for group administration. The test is divided into three parts, *Scènes et Situations*, *Conversations*, and *Contexte*. The listening selections are recorded on CD, and the full script is also provided so that the teacher can administer the test either by playing the CD or by reading the selections aloud.

Speaking Performance Test

These tests enable teachers to evaluate students' comprehension, ability to respond in French, and overall fluency. Designed to be administered to students individually, each test consists of two sections, *Conversations* and *Tu as la parole*.

Reading Comprehension Performance Test

These tests allow for evaluation of students' ability to understand material written in French. The Reading Comprehension Performance Test is designed for group administration. Each test contains several reading selections, in a variety of styles. Each selection is accompanied by one to four related multiple-choice questions in English.

Writing Performance Test

The Writing Performance Test gives students the opportunity to demonstrate how well they can use the material in the unit for self-expression. The emphasis is not on the production of specific grammar forms, but rather on the communication of meaning. Each test contains several guided writing activities, which vary in format from unit to unit.

Multiple Choice Test Items

These are the print version of the multiple choice questions from the Test Generator. They are contextualized and focus on vocabulary, grammar, reading, writing, and cultural knowledge.

Answer Key

The Answer Key includes answers that correspond to the following material:

- Video Activities
- Lesson Quizzes
- Communipak Activities
- Unit Tests
- Comprehensive Tests
- Performance Tests
- Multiple Choice Test Items

Unité 8. Bonnes vacances!

LEÇON 29 Le français pratique: Les vacances et les voyages

LISTENING/SPEAKING ACTIVITIES

Section 1. Culture

A. Aperçu culturel: Les Français en vacances

Allez à la page 434 de votre texte. Écoutez.

Partie A	vrai	faux	Partie B	vrai	faux
1.	❑	☑	6.	☑	❑
2.	☑	❑	7.	❑	☑
3.	❑	☑	8.	☑	❑
4.	❑	☑	9.	❑	☑
5.	☑	❑	10.	☑	❑

Section 2. Langue et communication

B. La réponse logique

▶ Comment vas-tu voyager?

a. Dans un hôtel. **(b.) En train.** **c. Trois semaines.**

1. (a.) Oui, je vais à la montagne. b. Oui, nous sommes en vacances. c. Oui, nous revenons demain.

2. a. Je parle français. (b.) Je fais de la voile. c. Je reste chez moi.

3. a. Oui, je me repose souvent. b. Oui, c'est un mauvais hôtel. (c.) Non, nous allons faire du camping.

4. (a.) Je vais faire un voyage. b. Je n'ai pas de passeport. c. Je ne suis pas prêt.

Nom ______________________

Classe ______________ Date ______________

	a	b	c
5.	(a.) Oui, la nuit il fait froid.	b. Non, il n'y a pas de réchaud.	c. Oui, j'ai chaud.
6.	a. Un vélo.	(b.) Un pantalon et des chemises.	c. Non, je n'ai pas mal au dos.
7.	a. La Californie.	b. L'Asie.	(c.) Les États-Unis.
8.	(a.) Au nord.	b. À l'étranger.	c. En vacances.
9.	a. À Québec.	b. En France.	(c.) En Louisiane.
10.	a. Je rentre à six heures.	b. Oui, j'ai mon billet.	(c.) Non, un aller simple.

C. Le bon choix

▶ —Est-ce que Monsieur Durand voyage en train ou en voiture?

—Il voyage en voiture.

1. Elle va à la mer.
2. Elle a loué un vélo.
3. Ils logent à l'hôtel.
4. Il a une valise.
5. Il dort dans un sac de couchage.
6. Elle a besoin de la casserole.

7. Elle visite les États-Unis.
8. Il visite l'Angleterre.
9. Elle visite la Suisse.
10. Il achète un billet d'avion.
11. Elle achète un aller et retour.
12. Elle voyage en première classe.

D. Dialogues

DIALOGUE A

Patrick parle à Stéphanie de ses projets de vacances.

STÉPHANIE: Dis, Patrick, qu'est-ce que tu vas faire cet été?

PATRICK: Je vais aller à la mer avec ma famille.

STÉPHANIE: Vous allez loger à l'hôtel?

PATRICK: Ah non! C'est trop cher. Nous allons louer une caravane!

STÉPHANIE: Tu as de la chance! J'adore faire du camping!

PATRICK: Vraiment? Alors, tu as certainement un sac de couchage!

STÉPHANIE: Oui, pourquoi?

PATRICK: Est-ce que tu peux me le prêter?

STÉPHANIE: Bon, d'accord!

DIALOGUE B

À l'aéroport. Un touriste arrive au comptoir d'Air France.

EMPLOYÉE: Bonjour, monsieur. Vous avez votre billet d'avion?

TOURISTE: Oui, voilà.

EMPLOYÉE: Vous allez à New York et après à San Francisco, n'est-ce pas?

TOURISTE: Oui, je vais visiter les États-Unis pendant deux semaines.

EMPLOYÉE: Est-ce que je peux voir votre passeport?

TOURISTE: Voilà.

EMPLOYÉE: Merci . . . Combien de valises avez-vous?

TOURISTE: Ces deux-là!

EMPLOYÉE: Merci, et bon voyage!

Nom ______________________________

Classe ____________________ Date ____________________

Discovering FRENCH Nouveau!

BLANC

E. Répondez, s'il vous plaît!

▶ —Quel pays vas-tu visiter?
—Je vais visiter le Canada.

▶ 

1. Elle va visiter l'Angleterre.
2. Ils vont visiter les États-Unis.
3. Is ont visité l'Égypte.
4. Je vais aller à la montagne.
5. Elle va à la mer.
6. Je fais mes valises.
7. Je vais acheter une carte.
8. Il y a une poêle.

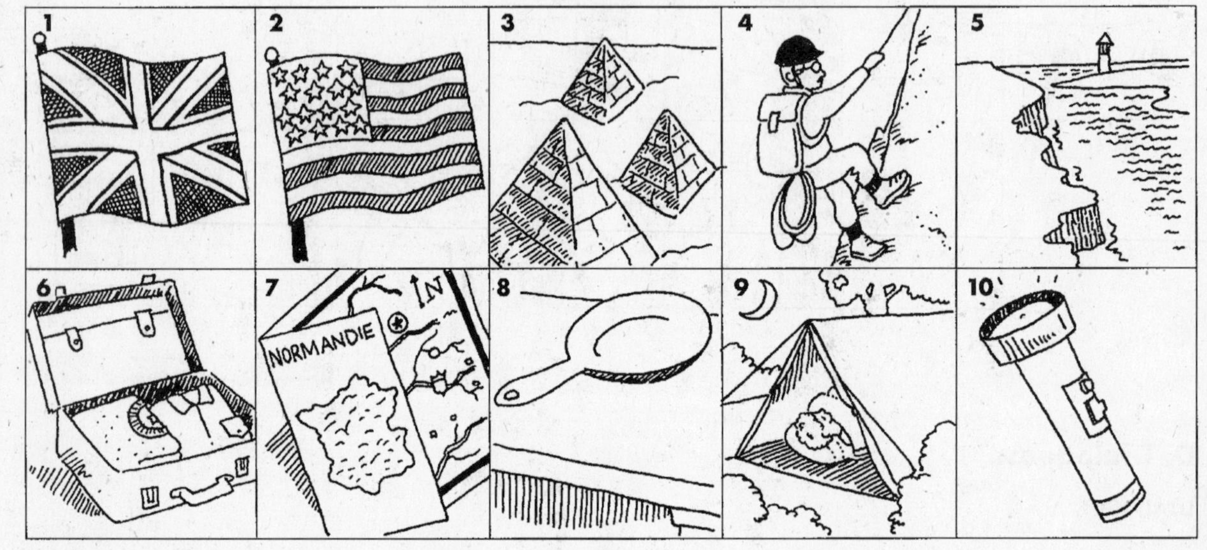

9. Je vais dormir dans un sac de couchage (dans une tente).
10. Je vais prendre une lampe de poche.

Questions personnelles

? 11	? 12	? 13	? 14
11. Je préfère aller à la mer.	12. Je préfère voyager en train.	13. Je voudrais visiter l'Australie.	14. Je voudrais visiter la Californie.

F. Situation: Un billet d'avion

RÉSERVATION AIR FRANCE

NOM DU PASSAGER	Éric Duval
DESTINATION	Montréal
TYPE DE BILLET	aller et retour
DATE DE DÉPART	le 28 mars
DATE DE RETOUR	le 10 avril
CLASSE	économie

URB p. 4

Nom ______________________

Classe ______________ Date ______________

Discovering FRENCH Nouveau!

BLANC

WRITING ACTIVITIES

A 1. Camping (sample answers)

Ce week-end vous allez faire du camping avec des copains. Nommez six objets que vous allez utiliser.

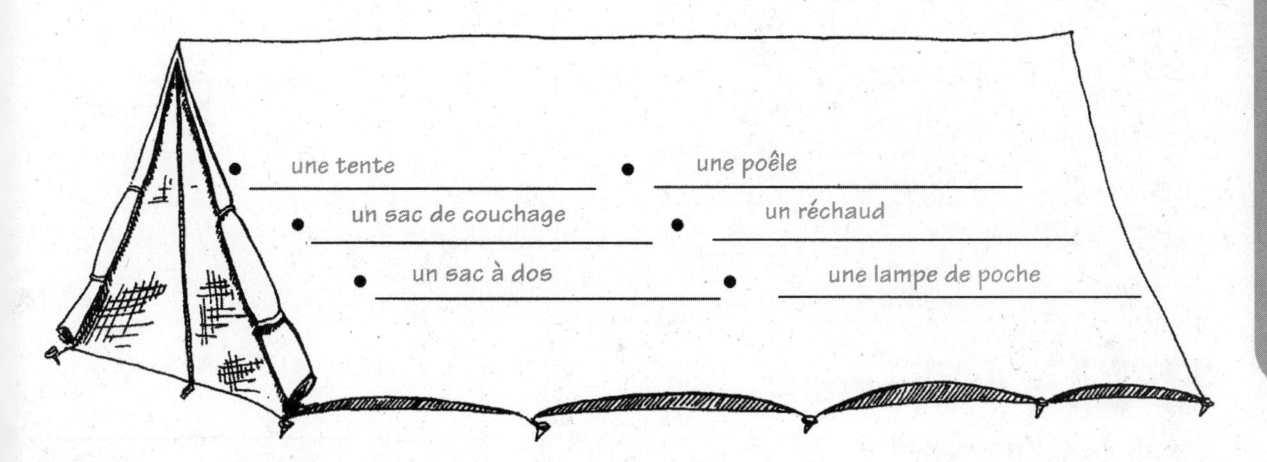

- une tente
- un sac de couchage
- un sac à dos
- une poêle
- un réchaud
- une lampe de poche

A/B 2. Soyons logique!

Complétez les phrases suivantes avec les mots qui conviennent *(fit)* logiquement.

1. Patrick aime beaucoup nager et faire du ski nautique. Cet été il va aller à la mer.
2. Alice adore faire de l'alpinisme. Elle va passer les vacances à la montagne.
3. Monsieur Duval va prendre l'avion tôt demain matin. Maintenant il fait ses valises.
4. Je crois que nous sommes perdus. Est-ce que tu as une carte de la région?
5. Catherine habite à Paris, mais cet été elle ne va pas rester en France. Elle va voyager à l'étranger.
6. Marc veut apprendre l'espagnol. Il va faire un séjour de deux mois à Madrid.
7. La Virginie est un état américain.
8. La France est un pays européen.
9. Boston est à l'est des États-Unis et San Francisco est à l'ouest.
10. Mes cousins vont visiter les États-Unis. Ils ne vont pas prendre le train. Ils vont louer une voiture.

URB p. 5

Nom ________________________________

Classe ____________________ Date ____________________

B 3. Êtes-vous bon (bonne) en géographie?

Écrivez le nom des pays où sont situées les villes suivantes. N'oubliez pas d'utiliser l'article **le, la, l'** ou **les.** Si c'est nécessaire, consultez un atlas ou une encyclopédie.

Note: Tous ces pays sont sur la liste à la page 438 de votre texte.

VILLE	PAYS	VILLE	PAYS
1. Berlin	l'Allemagne	7. Rio de Janeiro	le Brésil
2. Kyoto	le Japon	8. Mexico	le Mexique
3. San Francisco	les États-Unis	9. Shanghai	la Chine
4. Moscou	la Russie	10. Dakar	le Sénégal
5. Bruxelles	la Belgique	11. Liverpool	l'Angleterre
6. Barcelone	l'Espagne	12. Zurich	la Suisse

A/B/C 4. Bon voyage! (sample answers)

Scène A. À l'aéroport

1. Où se passe la scène?
   La scène se passe à l'aéroport.

2. Qu'est-ce que la dame veut acheter?
   La dame veut acheter un billet d'avion.

3. Quel pays est-ce qu'elle va visiter?
   Elle va visiter la Belgique.

4. Selon vous, en quelle classe est-ce qu'elle va voyager?
   Elle va voyager en première classe.

5. À quelle heure part son avion?
   Son avion part à 9 h 35.

6. Quels pays est-ce qu'elle a déjà visités?
   Elle a déjà visité les États-Unis, l'Égypte, le Japon, l'Italie, la Suisse et le Canada.

Nom ______________________________

Classe ____________________ Date ____________

Discovering FRENCH Nouveau!

BLANC

Scène B. À la gare

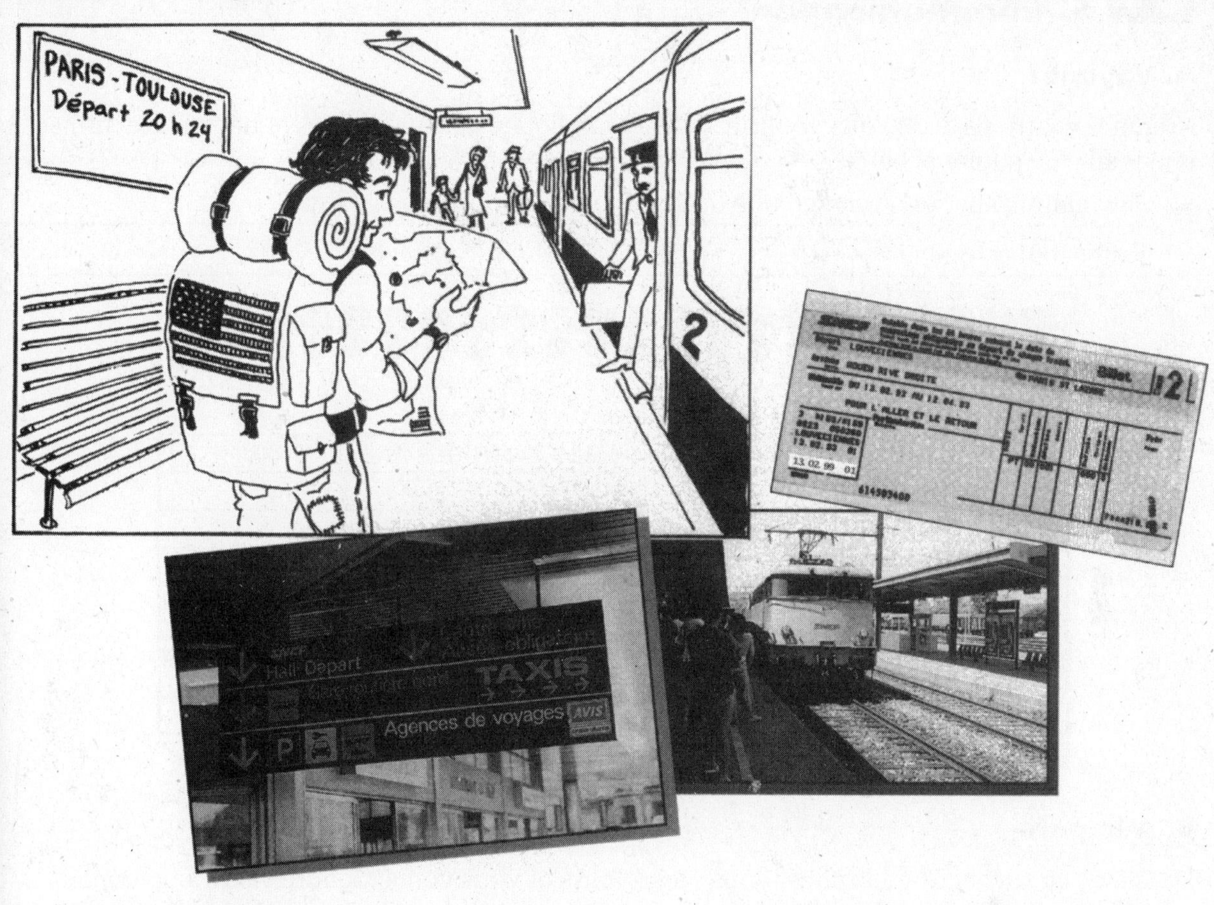

1. Où se passe la scène?
   La scène se passe à la gare.
2. Où veut aller le voyageur?
   Le voyageur veut aller à Toulouse.
3. Selon vous, en quelle classe est-ce qu'il voyage?
   Il voyage en seconde classe.
4. Qu'est-ce qu'il regarde?
   Il regarde une carte.
5. Qu'est-ce qu'il porte sur le dos?
   Il porte un sac à dos.
6. Quel est son pays d'origine?
   Son pays d'origine est les États-Unis.
7. À quelle heure est-ce que le train va partir?
   Le train va partir à 20 h 24.

URB p. 7

Nom ______________________

Classe ______________ Date ______________

5. Communication (sample answers)

A. Voyages

Nommez quatre pays où vous voudriez aller et expliquez pourquoi. Si c'est nécessaire, utilisez une feuille de papier séparée.

▶ Je voudrais aller en France parce que c'est un beau pays et parce que j'aime parler français.

- Je voudrais aller au Sénégal parce que c'est très différent des États-Unis.
- Je voudrais aller au Canada parce que c'est un pays où je peux parler anglais et français.
- Je voudrais aller en Australie parce que je trouve les animaux là bas intéressants.
- Je voudrais aller en Italie parce que je voudrais étudier l'art italien.

B. À la gare

Vous êtes en vacances en France. Vous êtes à Paris et vous voulez rendre visite à un copain qui habite à Strasbourg. Complétez la conversation avec l'employé à la Gare de l'Est.

L'EMPLOYÉ: Vous désirez?

VOUS: Je voudrais un billet de train pour Strasbourg.

(Say that you would like a train ticket for Strasbourg.)

L'EMPLOYÉ: Un aller simple?

VOUS: Non, un aller et retour, s'il vous plaît.

(Say that you want a round trip ticket.)

L'EMPLOYÉ: En quelle classe?

VOUS: En seconde classe.

(Decide if you want to travel in first or second class: tell him.)

L'EMPLOYÉ: Voilà, ça fait soixante-deux euros.

VOUS: À quelle heure part le train?

(Ask at what time the train leaves.)

L'EMPLOYÉ: À 18 heures 32.

VOUS: Merci. Au revoir, monsieur.

(Say thank you and good-bye.)

Nom ______________________________

Classe ____________________ Date ____________

Discovering FRENCH Nouveau!

BLANC

Unité 8. Bonnes vacances!

LEÇON 29 Le français pratique: Les vacances et les voyages

A

Activité 1 Le camping

Mettez un cercle autour de l'expression qui convient.

1. Je voudrais [nager]. Je vais donc aller *à la mer / à la montagne / à la campagne.*
2. Je vais faire [du camping]. Je vais donc *louer / prêter* une caravane.
3. Nous allons préparer nos [poulets]. Nous allons acheter *une couverture / un réchaud.*
4. La nuit, il fait [froid]. Nous allons prendre nos *poêles / couvertures* et nos *sacs à dos / sacs de couchage.*

Activité 2 La géographie

Ajoutez l'article, puis identifiez le continent où se trouve chaque pays.

a. l'Afrique	b. l'Amérique	c. l'Asie	d. l'Europe

d 1. Allemagne
b 2. Guatemala
c 3. Corée
b 4. Argentine
c 5. Chine
b 6. États-Unis
d 7. France
c 8. Cambodge
d 9. Belgique
a 10. Sénégal
a 11. Égypte
d 12. Suisse

Activité 3 Les voyages

Complétez chaque phrase en choisissant quatre des sept expressions données.

un horaire
première classe
aller et retour
faire un séjour
deuxième classe
faire mes valises
aller simple

1. Si on rend visite à des amis et on ne sait pas quand on va rentrer, on achète un aller simple.
2. Si on ne sait pas à quelle heure son train part, on a besoin de / d' un horaire.
3. Un billet de première classe coûte plus cher, mais la nourriture est meilleure et les sièges sont plus larges.
4. J'ai envie de faire un séjour en Inde pour mieux connaître la culture.

URB p. 9

Nom ______________________

Classe ______________ Date ______________

Discovering FRENCH Nouveau!

BLANC

B

Activité 1 Les vacances (Sample answers)

Faites correspondre les questions et les réponses.

d 1. Où vas-tu aller pendant les vacances?
e 2. Quels pays est-ce que tu vas visiter?
b 3. Combien de temps vas-tu rester là-bas?
c 4. Où est-ce que tu vas rester?
a 5. Est-ce que tu es prêt à partir?

a. Oui, j'ai déjà fait mes valises.
b. Je vais y passer un mois.
c. Je vais faire du camping.
d. Je vais à la montagne.
e. Je vais aller en Suisse.

Activité 2 L'intrus

Ajoutez l'article, puis mettez un cercle autour du pays qui ne va pas avec les autres.

1. le Canada — le Mexique — (l' Allemagne)
2. (l' Australie) — le Brésil — l' Argentine
3. l' Angleterre — (l' Inde) — la Belgique
4. l' Égypte — (l' Espagne) — le Sénégal
5. (l' Irlande) — __ Israël — le Liban
6. (le Portugal) — le Cambodge — la Chine
7. l' Italie — la Suisse — (le Japon)
8. la Corée — (la Russie) — le Viêt-Nam

Activité 3 Le camping

Complétez les phrases avec le vocabulaire donné.

tente	réchaud	billet	poêle	couverture	horaire

1. Tu vas prendre [train]. Tu as donc besoin d'un horaire et d'un billet.

2. Nous allons faire du [tente]. Nous avons donc besoin d'une tente et d'une couverture.

3. Nous allons préparer nos [poissons]. Nous avons donc besoin d'un réchaud et d'une poêle.

C

Activité 1 Les vacances (sample answers)

Répondez aux questions en faisant des phrases complètes.

1. Où vas-tu en vacances, d'habitude?
   Je vais en Provence.
2. Combien de temps passes-tu en vacances?
   J'y passe deux semaines.
3. Où loges-tu?
   Je reste chez mes grands-parents.
4. Quels pays étrangers as-tu visité?
   J'ai visité l'Allemagne, l'Angleterre et l'Italie.
5. Quel pays voudrais-tu visiter?
   Je voudrais visiter le Japon.

Activité 2 La géographie

Quel est le pays décrit? Complétez les phrases.

1. Les États-Unis sont au sud du Canada.
2. L'Allemagne est au nord-est de la France.
3. L'Égypte est dans le nord-est de l'Afrique.
4. La Chine est le plus grand pays d'Asie.
5. La Suisse est le pays le plus montagneux d'Europe.

Activité 3 Les voyages

Complétez les réponses avec le vocabulaire nouveau de cette leçon.

1. —Nous allons prendre le train pour aller dans les Alpes.
   —Avez-vous un horaire et vos billets?
2. —Nous ne savons pas quand nous allons rentrer de vacances.
   —Ah bon. Alors, vous avez pris un aller simple?
3. —Vous restez à l'hôtel?
   —Non, nous allons faire du camping.
   —Alors, vous avez une tente, un sac de couchage et, s'il fait froid, une couverture?
4. —Au camping, nous allons préparer nos repas.
   —Super. Tu as donc acheté un réchaud, une poêle et une casserole?

URB p. 11

LEÇON 29 Les vacances et les voyages, page 434

Objectives

Communicative Functions and Topics	To talk about vacation plans To plan a camping trip To use geographical terms and identify countries To be able to use public transportation, buy tickets, and check schedules To read a train schedule for information
Linguistic Goals	To use the verbs ***utiliser*** and ***transporter*** To use definite articles with names of countries
Cultural Goals	To learn about favorite French vacation destinations To be aware of ***les grandes vacances*** in August

Motivation and Focus

❑ Have students look at pages 432–433 and discuss what the people in the photo are doing. Point out the tickets and vacation advertisements, page 400. Discuss where one could go using these forms of transportation. Help students talk about their vacation plans or favorite vacation activities. Preview the unit by reading *Thème et Objectifs* on page 432.

Presentation and Explanation

❑ *Lesson Opener:* Have students look at the pictures on pages 434–435 and read *Aperçu culturel. . . .* Ask them to compare French and American vacation destinations and lodgings. Play **Audio** CD 5, Track 1 or read pages 434–435. Explain the CULTURAL NOTES on page 435 of the TE. Have students read the selection in pairs and summarize it. Play **Video** 2 or **DVD** 2, Counter 35:44–40:23.

❑ *Vocabulary A:* To introduce vacation and camping expressions, use **Overhead Transparencies** 60 and 61. Model the questions and answers in *Les vacances*, page 436. Point out the time expressions in the *Flash d'information*. Have students talk about their vacation plans using the expressions. Listen to **Audio** CD 5, Track 2.

❑ *Vocabulary B:* Present vocabulary related to foreign travel, page 438. Use **Overhead Transparencies** 2b and c to introduce vocabulary to talk about geography. Explain gender of countries and states, as well as definite articles used before names of countries and states, at the top of page 439 and in the LANGUAGE NOTES on pages 438–439 of the TE. Listen to **Audio** CD 5, Track 3.

❑ *Vocabulary C:* Do the WARM-UP activity, page 440 of the TE, to review telling time. Use **Overhead Transparency** 62 to model expressions for using public transportation, page 440. Have students repeat the questions and expressions. Listen to **Audio** CD 5, Track 4.

Guided Practice and Checking Understanding

❑ Check understanding of *Aperçu culturel . . .* with QUESTIONS SUR LE TEXTE, page 435 of the TE.

❑ Have students practice talking about vacations and transportation using these **Overhead Transparencies: Transparency** 60 with the activity at the top of page A148 and the TEACHING TIP on page 436 of the TE; **Transparency** 61 with the activity on page A149; **Transparency** 62 with the first Goal 1 activity on page A152.

❑ To check listening comprehension, use **Audio** CD 13, Tracks 1–6 or read from the **Audioscript** as students do **Workbook** Listening/Speaking Activities A–F on pages 265–268.

❑ Have students complete **Video Activities** 1–8, pages 23–26, as they watch the **Video** or listen to you read the **Videoscript**.

Independent Practice

- ❑ Model the activities on pages 437–441. Do 2 and 5 for homework, 4 and 6 in pairs, and 1, 3, 7, and 8 as PAIR/GROUP PRACTICE.
- ❑ Have pairs of students do any or all of **Communipak** *Interviews* 1, 3, and 4; *Tu as la parole* 1 and 4; *Conversation* 1; or *Tête à tête* 1 (pages 148–161).
- ❑ Have students do any appropriate activities in **Activités pour tous**, pages 161–163.

Monitoring and Adjusting

- ❑ Have students complete the Writing Activities on **Workbook** pages 269–272 and the Reading and Culture Activity on page 291.
- ❑ As students work on the practice activities, monitor language used to talk about vacation plans and public transportation. Refer them back to the vocabulary boxes on pages 436–440 as needed. The suggestions in EXPANSION and TEACHING NOTES (pages 437 and 439 of the TE) can be used to meet all students' needs.

Assessment

- ❑ Administer Quiz 29 on pages 37–38 after completing the lesson's activities. Adjust lesson quizzes to the class's needs by using the **Test Generator**.

Reteaching

- ❑ Redo any appropriate activities from the **Workbook**.
- ❑ Students can use the **Video** to review portions of the lesson.
- ❑ Reteach geography vocabulary with the puzzle in **Teacher to Teacher**, page 45.

Extension and Enrichment

- ❑ Play UN JEU: LE CAMPING, page 436 of the TE, and UN JEU: BON VOYAGE, page 438 of the TE.

Summary and Closure

- ❑ Have students prepare and present one of the following role plays: **Overhead Transparency** 60 with the second activity on page A148; **Transparency** 61 with the activity on page A150; **Transparency** 62 with the activity at the bottom of page A152. Ask others to summarize the communicative functions that they have heard.
- ❑ Do PORTFOLIO ASSESSMENT on page 441 of the TE.

End-of-Lesson Activities

- ❑ *Au jour le jour:* Students can look for information on the train schedule, map, and ticket price schedule, pages 440–441. Guide them to talk about arrival and departure times, which routes on the map are not yet completed, and prices of first and second class tickets. Assign *Documents* on pages 292–293 of the **Workbook**.

LEÇON 29 Les vacances et les voyages, page 434

Block Scheduling (2 Days to Complete)

Objectives

Communicative Functions and Topics
To talk about vacation plans
To plan a camping trip
To use geographical terms and identify countries
To be able to use public transportation, buy tickets, and check schedules
To read a train schedule for information

Linguistic Goals
To use the verbs ***utiliser*** and ***transporter***
To use definite articles with names of countries

Cultural Goals
To learn about favorite French vacation destinations
To be aware of ***les grandes vacances*** in August

Block Schedule

Change of Pace Do an oral "chain story" with the whole class focusing on the steps one takes when going on a trip and getting on a train or an airplane. The first student starts: *Je fais la valise.* The next student adds the next detail: *Je vais à la gare/à l'aéroport.* Continue with as many students as possible. ■

Day 1

Motivation and Focus

- ❑ Have students look at pages 432–433 and discuss what the people in the photo are doing. Point out the tickets and vacation advertisements, page 400. Discuss where one could go using these forms of transportation. Help students talk about their vacation plans or favorite vacation activities. Preview the unit by reading *Thème et Objectifs* on page 432.

Presentation and Explanation

- ❑ *Lesson Opener:* Have students look at the pictures on pages 434–435 and read *Aperçu culturel. . . .* Ask them to compare French and American vacation destinations and lodgings. Play **Audio** CD 5, Track 1 or read pages 434–435. Explain the CULTURAL NOTES on page 435 of the TE. Have students read the selection in pairs and summarize it. Play **Video** 2 or **DVD** 2, Counter 35:44–40:23.
- ❑ *Vocabulary A:* To introduce vacation and camping expressions, use **Overhead Transparencies** 60 and 61. Model the questions and answers in *Les vacances*, page 436. Point out the time expressions in the *Flash d'information*. Have students talk about their vacation plans using the expressions. Listen to **Audio** CD 5, Track 2.
- ❑ *Vocabulary B:* Present vocabulary related to foreign travel, page 438. Use **Overhead Transparencies** 2b and c to introduce vocabulary to talk about geography. Explain gender of countries and states, as well as definite articles used before names of countries and states, at the top of page 439 and in the LANGUAGE NOTES on pages 438–439 of the TE. Listen to **Audio** CD 5, Track 3.
- ❑ *Vocabulary C:* Do the WARM-UP activity, page 440 of the TE, to review telling time. Use **Overhead Transparency** 62 to model expressions for using public transportation, page 440. Have students repeat the questions and expressions. Listen to **Audio** CD 5, Track 4.

Guided Practice and Checking Understanding

- ❑ Check understanding of *Aperçu culturel*... with QUESTIONS SUR LE TEXTE, page 435 of the TE.
- ❑ Have students practice talking about vacations and transportation using these **Overhead Transparencies: Transparency** 60 with the activity at the bottom of page A148 and the TEACHING TIP on page 436 of the TE; **Transparency** 61 with the activity on page A149; **Transparency** 62 with the first Goal 1 activity on page A152.
- ❑ To check listening comprehension, use **Audio** CD 13, Tracks 1–6 or read from the **Audioscript** as students do **Workbook** Listening/Speaking Activities A–F on pages 265–268.
- ❑ Have students complete **Video Activities** 1–8, pages 23–26, as they watch the **Video** or listen to you read the **Videoscript**.

Independent Practice

- ❑ Model the activities on pages 437–441. Do 2 and 5 for homework, 4 and 6 in pairs, and 1, 3, 7, and 8 as PAIR/GROUP PRACTICE.
- ❑ Have pairs of students do any or all of **Communipak** *Interviews* 1, 3, and 4; *Tu as la parole* 1 and 4; *Conversation* 1; or *Tête à tête* 1 (pages 148–161).
- ❑ Have students do any appropriate activities in **Activités pour tous**, pages 161–163.

Day 2

Motivation and Focus

- ❑ Play UN JEU: LE CAMPING, page 436 of the TE, and UN JEU: BON VOYAGE, page 438 of the TE.

Monitoring and Adjusting

- ❑ Have students complete the Writing Activities on **Workbook** pages 269–272.
- ❑ As students work on the writing activities, monitor language used to talk about vacation plans and public transportation. Refer them back to the vocabulary boxes on pages 436–440 as needed.

End-of-Lesson Activities

- ❑ *Au jour le jour:* Students can look for information on the train schedule, map, and ticket price schedule, pages 440–441. Guide them to talk about arrival and departure times, which routes on the map are not yet completed, and prices of first and second class tickets.

Reteaching (as needed)

- ❑ Redo any appropriate activities from the **Workbook**.
- ❑ Students can use the **Video** to review portions of the lesson.
- ❑ Reteach geography vocabulary with the puzzle in **Teacher to Teacher**, page 45.

Extension and Enrichment (as desired)

- ❑ Use **Block Scheduling Copymasters**, pages 233–240.
- ❑ For expansion activities, refer students to www.classzone.com.
- ❑ Assign the Reading and Culture Activities on pages 291–293 of the **Workbook**.

Summary and Closure

- ❑ Have students do the **Block Schedule Activity** at the top of the previous page.
- ❑ Do PORTFOLIO ASSESSMENT on page 441 of the TE.

Assessment

- ❑ Administer Quiz 29 on pages 37–38 after completing the lesson's activities. Adjust lesson quizzes to the class's needs by using the **Test Generator**.

BLANC

Date:

Dear Family,

As we near the end of the *Discovering French–Nouveau!*, *Blanc* program, we turn our attention to the discussion of vacation plans. Students are learning how to describe vacation plans—to describe a camping trip, to name many countries of the world, and to talk about travel by plane and by train. In addition, students are learning how to discuss future plans and to talk about what they would do under a variety of conditions by learning to use both the future and conditional tenses.

We continue to explore authentic culture of France and the French-speaking world, and in this unit, we focus on what French young people typically do during their summer vacation and the kinds of places they might go. As a way to compare French culture with their own, students practice a variety of real-life situations, simulating actual communication and conversation in French.

Please feel free to call me with any questions or concerns you might have as your student practices reading, writing, listening, and speaking in French.

Sincerely,

Nom ____

Classe ______________________ Date ______________________

Discovering FRENCH Nouveau!

BLANC

LEÇON 29 Le français pratique: Les vacances et les voyages, pages 432–435

Materials Checklist

- ❑ **Student Text**
- ❑ **Audio** CD 5, Track 1; **Audio** CD 13, Track 1
- ❑ **Video** 2 or **DVD** 2, Counter 35:44–36:53
- ❑ **Workbook**

Steps to Follow

- ❑ Unit Opener: Look at the photograph on pages 432–433. Where was this photograph taken? Describe what you see. What is each person in the photograph doing? Do you and your friends vacation together? What do you like to do when you are on vacation?
- ❑ Before you watch the **Video** or **DVD**, or listen to the **CD**, read *Comparaisons culturelles* (p. 435). This will help you understand what you see and hear.
- ❑ Look at the photos on pages 434–435 while you read the text. Write down any unfamiliar words or expressions. Check meanings. Listen to **Audio** CD 5, Track 1.
- ❑ Watch **Video** 2 or **DVD** 2, Counter 35:44–36:53. Pause and replay if necessary.
- ❑ Do Listening/Speaking Activities, Section 1, Activity A in the **Workbook** (p. 265). Use **Audio** CD 13, Track 1.
- ❑ Answer the questions in *Et vous?* (p. 435).

If You Don't Understand . . .

- ❑ Watch the **Video** or **DVD** in a quiet place. Try to stay focused. If you get lost, stop the Video or **DVD**. Replay it and find your place.
- ❑ Listen to the **CDs** in a quiet place. If you get lost, stop the **CDs**. Replay them and find your place. Repeat what you hear. Try to sound like the people on the recording.
- ❑ On a separate sheet of paper, write down new words and expressions. Check meanings.
- ❑ Say aloud anything you write. Make sure you understand everything you say.
- ❑ Write down any questions so that you can ask your partner or your teacher later.

Self Check

Répondez aux questions suivantes.

1. Quand est-ce que les Français partent en vacances?
2. Que font les jeunes Français pendant les vacances?
3. Quelle différence est-ce qu'il y a entre la France et les autres pays d'Europe à l'égard du camping?
4. Pourquoi est-ce que les étudiants étrangers se logent dans les auberges de jeunesse?
5. Pour les jeunes Américains, quel est le moyen de transport le plus pratique pour visiter les pays d'Europe?

Answers

1. Ils partent en vacances le premier juillet, le quinze juillet et le premier août. 2. Pendant les vacances, les jeunes Français voyagent avec leurs parents ou bien ils vont dans des colonies de vacances. 3. La France a le plus grand nombre de terrains de camping. 4. Ils se logent dans les auberges de jeunesse parce qu'elles offrent un logement bon marché et confortable. 5. Pour les jeunes Américains, le train est le moyen de transport le plus pratique pour visiter les pays d'Europe.

Nom ____

Classe ________________________ Date ________________

Discovering FRENCH *Nouveau!*

BLANC

A. Vocabulaire: Les vacances, pages 436–437

Materials Checklist

- ❑ **Student Text**
- ❑ **Audio** CD 5, Track 2
- ❑ **Video** 2 or **DVD** 2, Counter 36:54–38:06
- ❑ Workbook

Steps to Follow

- ❑ Study *Vocabulaire: Les vacances* (p. 436). Copy the model sentences. Say them aloud. Listen to **Audio** CD 5, Track 2.
- ❑ Watch **Video** 2 or **DVD** 2, Counter 36:54–38:06. Pause and replay, if necessary.
- ❑ Do Activities 1 and 2 in the text (p. 437). Say your answers aloud.
- ❑ Do Activity 3 in the text (p. 437). Write the answers in complete sentences on a separate sheet of paper. Say the answers aloud.
- ❑ Do Writing Activity A 1 in the **Workbook** (p. 269).

If You Don't Understand . . .

- ❑ Reread activity directions. Put the directions in your own words.
- ❑ Read the model several times. Be sure you understand it.
- ❑ Say aloud everything that you write. Be sure you understand what you are saying.
- ❑ When writing a sentence, ask yourself, "What do I mean? What am I trying to say?"
- ❑ Listen to the **CD** in a quiet place. Try to stay focused. If you get lost, stop the **CD**. Replay it and find your place.
- ❑ Write down any questions so that you can ask your partner or your teacher later.

Self Check

Répondez aux questions suivantes d'après le modèle.

▶ Catherine aime se promener en plein air. Où va-t-elle probablement passer ses vacances?
Elle va probablement passer ses vacances à la campagne.

1. Anne aime faire des promenades dans la forêt. Où va-t-elle probablement passer ses vacances?
2. Jacques et Paul adorent faire de la planche à voile. Où vont-ils probablement passer leurs vacances?
3. Alain aime faire de l'escalade. Où va-t-il probablement passer ses vacances?
4. Alice aime rendre visite à ses amis. Où est-ce qu'elle va probablement rester?
5. Pierre va voyager à l'étranger. De quoi a-t-il probablement besoin?

Answers

1. Elle va probablement passer ses vacances à la montagne. 2. Ils vont probablement passer leurs vacances à la mer. 3. Il va probablement passer ses vacances à la montagne. 4. Elle va probablement loger chez des amis. 5. Il a probablement besoin d'un passeport et d'un visa.

Nom ______________________________

Classe ____________________ Date ______________

B. Vocabulaire: Les voyages à l'étranger, pages 438–439

C. Vocabulaire: À la gare et à l'aéroport, page 440

Materials Checklist

- ❑ **Student Text**
- ❑ **Audio** CD 5, Tracks 3–4; **Audio** CD 13, Tracks 2–6
- ❑ **Video** 2 or **DVD** 2, Counter 38:07–40:23
- ❑ **Workbook**

Steps to Follow

- ❑ Study *Vocabulaire: Les voyages à l'étranger* (pp. 438–439). Say the model sentences aloud. Listen to **Audio** CD 5, Track 3.
- ❑ Watch **Video** 2 or **DVD** 2, Counter 38:07–40:23. Pause and replay, if necessary.
- ❑ Do Activity 4 in the text (p. 439). Write your answers in complete sentences. Locate each country and its capital on a map.
- ❑ Do Activity 5 the text (p. 439). Write the answers in complete sentences. Read your answers aloud.
- ❑ Do Activity 6 in the text (p. 439). Write your answers on a separate piece of paper.
- ❑ Study *Vocabulaire: À la gare et à l'aéroport* (p. 440). Listen to **Audio** CD 5, Track 4.
- ❑ Do Listening/Speaking Activities, Section 2, Activities B–F in the **Workbook** (pp. 265–268). Use **Audio** CD 13, Tracks 2–6.
- ❑ Do Writing Activities 2–5 in the **Workbook** (pp. 269–272).

If You Don't Understand . . .

- ❑ Reread activity directions. Put the directions in your own words.
- ❑ Read the model several times. Be sure you understand it.
- ❑ Say aloud everything that you write. Be sure you understand what you are saying.
- ❑ When writing a sentence, ask yourself, "What do I mean? What am I trying to say?"
- ❑ Watch the **Video** or **DVD** in a quiet place. If you get lost, pause and reply to find your place.
- ❑ Listen to the **CDs** in a quiet place. Try to stay focused. If you get lost, stop the **CDs**. Replay them and find your place.
- ❑ Write down any questions so that you can ask your partner or your teacher later.

Self Check

Dites quel pays les personnes suivantes ont visité.

▶ Janine a pris des photos du Reichstag.
Elle a visité l'Allemagne.

1. Alain a vu le mont Fuji.
2. Hélène et Louise se sont promenées dans Central Park.
3. Jean a pris des photos du Pont des arts.
4. Nous avons vu le Washington Monument.
5. Vous vous êtes promenés dans le Mont-Royal.

Answers

1. Alain a visité le Japon. 2. Hélène et Louise ont visité New York. 3. Jean a visité Paris.
4. Nous avons visité Washington, D. C. 5. Vous avez visité Montréal.

Nom ______________________________

Classe ____________________ Date ____________

LEÇON 29 Le français pratique: Les vacances et les voyages

Les préférences

Ask a family member how she or he prefers to travel. Find out if he or she prefers to stay in a hotel, rent a camper, or stay with friends.

- First, explain your assignment.
- Next, help the family member pronounce the words. Model the pronunciation as you point to each picture. Give English equivalents if necessary.
- Then, ask the question, **Quand tu voyages, est-ce que tu préfères . . . ?**
- When you have an answer, complete the sentence below.

loger à l'hôtel?

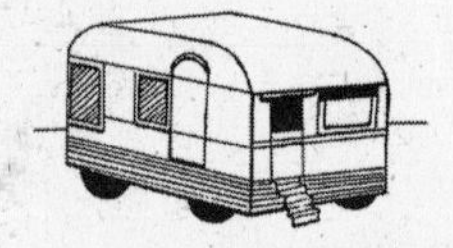

louer une caravane?

loger chez des amis?

____________________ **préfère** ______________________________.

Un voyage à l'étranger

Ask a family member where he or she would most like to visit. Have him or her rank in order the places he or she most wants to visit.

- First, explain your assignment.
- Next, help the family member pronounce the words. Model the pronunciation as you point to each word.
- Then, ask the question, **Où veux-tu aller en vacances?**
- Have the family member put the number 1 next to the place he or she most wants to visit, a 2 for the next best place, and so on.

Je voudrais visiter . . .

_____ **la Suisse**

_____ **l'Inde**

_____ **le Brésil**

_____ **la Chine**

_____ **le Guatemala**

_____ **l'Australie**

_____ **le Portugal**

_____ **l'Italie**

LEÇON 29 Le français pratique: Les vacances et les voyages

Cultural Commentary

- Air France is the only international French airline. It is one of only two companies in the world that fly the Concorde, an SST (supersonic transport) that flies at Mach 2, or twice the speed of sound (1,320 mph). The Concorde came about from an agreement between the governments of Great Britain and France in 1962. A prototype was flown in 1969 and, after further refinement, the Concorde began regular service in 1976.
- There are several smaller regional airlines in France, such as Air Provence, but many French prefer to drive or take the train to get where they are going for vacation.
- Driving means that there are often traffic jams **(les embouteillages)** that go on for miles leading some of the most popular vacation spots.
- The long vacations in the summer typically last for four weeks, and all French workers are guaranteed by law to have five weeks of vacation.
- The French also tend to **faire le pont**, which means that if a holiday lands on a Tuesday or a Thursday, it is only natural to take off the intervening Monday or Friday to extend the weekend.
- Campgrounds, like hotels, are rated using a star system. The more stars, the more amenities—and the higher the cost.
- **Les Cévennes** is located on the eastern side of **le Massif central**. It is popular for rustic tourism and camping. It has sheer cliffs and deep valleys and some fruit trees are grown there.

Nom ____

Classe ______________________ Date ______________

LEÇON 29 Le français pratique: Les vacances et les voyages

Activité 1. Anticipe un peu!

1. How do you spend your summer vacation? Do you travel? Stay home? Work?

   ____

   ____

2. If you had a chance to go to the seashore, to the mountains, or go camping, which would you choose? Why?

   ____

   ____

3. Have you ever visited a foreign country? Which one(s)? Would you like to go abroad? Where?

   ____

   ____

Activité 2. Vérifie!

Counter 35:44–36:53

1. En été, les jeunes français ____.
   a. travaillent b. partent en vacances c. restent chez eux
2. Typiquement, les familles françaises partent ____.
   a. le quinze juin b. le quinze juillet c. le quinze août
3. Les Français voyagent souvent ____.
   a. en train b. en métro c. en avion
4. Beaucoup de Français vont ____.
   a. aux États-Unis b. à la mer et à la campagne c. en Afrique du Nord
5. Les terrains de camping sont ____.
   a. au centre-ville b. dans la banlieue c. dans les coins pittoresques

Nom ____________________

Classe ____________________ Date ____________________

Discovering FRENCH Nouveau!

BLANC

Activité 3. La réponse logique

Counter 36:54–37:39

Match the question with the answer. Attention! There are extra answers.

____ 1. Qu'est-ce que Charlotte va faire cet été?
____ 2. Où est-ce que Charlotte va rester?
____ 3. Est-ce que Nicolas va à la mer?
____ 4. Est-ce que Nicolas va camper sous la tente?
____ 5. Où est-ce qu'il va aller?
____ 6. Qu'est-ce qu'il n'aime pas?

a. Elle reste à l'hôtel.
b. Non, à la campagne.
c. Les moustiques.
d. Elle va à la mer.
e. Aux Alpes.
f. Elle loue une villa.
g. Avec ses parents.
h. Non, il a une caravane.

Activité 4. Vrai ou faux?

Counter 37:40–38:06

Decide whether the following statements are true or false, according to the video.

1. Malik faire du camping sauvage à la mer. vrai faux
2. Malik va faire du camping avec sa famille. vrai faux
3. Il est expert en camping sauvage. vrai faux
4. Il a déjà un sac de couchage. vrai faux
5. Il n'a pas encore acheté le reste de l'équipement. vrai faux

Activité 5. Voyages à l'étranger

Counter 38:07–40:23

Circle the answer that best completes the sentence, according to the video.

1. Les jeunes Français étudient au moins ____ langue étrangère.
   a. une b. deux c. trois
2. Ils commencent, généralement, avec ____.
   a. le latin b. l'anglais c. l'allemand
3. Pour perfectionner leur espagnol, ils vont ____.
   a. au Mexique b. en Angleterre c. en Espagne
4. Pour voyager aux États-Unis, il faut avoir ____.
   a. un passeport b. beaucoup d'argent c. une carte d'identité
5. L'euro est utilisé dans ____ pays différents.
   a. 10 b. 12 c. 14

Activité 6. Vous avez compris?

Counter 38:07–40:23

Select the best answer to each question.

1. À quel âge est-ce que les Français commencent à étudier leur première langue étrangère?
   a. à 11 ans
   b. à 13 ans
2. Qu'est-ce qu'ils ont comme choix pour une deuxième langue?
   a. anglais, allemand, chinois
   b. espagnol, italien, russe
3. Qu'est-ce que c'est qu'un séjour linguistique?
   a. c'est un cours de langue intensif
   b. c'est l'étude d'une langue dans le pays même
4. Qu'est-ce qu'il faut avoir pour voyager en Europe?
   a. une carte d'identité et des euros
   b. un visa et de l'argent espagnol
5. Est-ce que l'euro est utilisé partout en Europe?
   a. non, seulement dans 12 pays
   b. en Europe, oui, partout

Nom ____________________

Classe ______________ Date ______________

Activité 7. Les voyages

First, list all (or your five favorite) states, cities, or countries you have visited on vacation. Then ask classmates if they have visited some of the same places. If any match yours, have that person sign on the line.

MES ENDROITS PRÉFÉRÉS	SIGNATURE
1. ______________	______________
2. ______________	______________
3. ______________	______________
4. ______________	______________
5. ______________	______________

Activité 8. Mes vacances préférées

What is your most memorable vacation? Describe it in as much detail as possible, including where you went and with whom, where you stayed, how long you were there, what the weather was like, what you did there, etc.

LEÇON 29 Le français pratique: Les vacances et les voyages

Video 2, DVD 2

pp. 434–435

Counter 35:44–36:53

MATTHIEU: En été, les jeunes Français ne travaillent pas pour gagner de l'argent comme les jeunes Américains. La majorité partent en vacances avec leurs parents pendant plusieurs semaines. Les grands départs ont lieu le premier juillet, le quinze juillet, et le premier août. Ces jours-là, des millions de Français quittent leurs villes et partent en voiture ou en train. Où vont-ils? Principalement à la mer, à la campagne et à la montagne. Beaucoup vont chez des amis ou chez des membres de leur famille. Une autre formule consiste à faire du camping. Il y a 9 000 terrains de camping en France. Beaucoup sont situés dans des coins très pittoresques, et la majorité sont bien équipés.

Section 1: Les vacances p. 436

Counter 36:54–37:39

Mini-scène 1.

NICOLAS: Qu'est-ce que tu vas faire cet été?

CHARLOTTE: Je vais passer les vacances à la mer avec ma famille.

NICOLAS: Vous allez rester à l'hôtel?

CHARLOTTE: Oh, non, c'est trop cher. On a loué une villa avec des amis de mes parents. Ça va être sympa.

CHARLOTTE: Et toi, tu vas passer les vacances à la mer?

NICOLAS: Non, je vais à la montagne avec mes parents. On va faire du camping.

CHARLOTTE: Sous la tente?

NICOLAS: Non, on a une caravane. On a loué dans un camping dans les Alpes.

CHARLOTTE: Ça te plaît?

NICOLAS: Oui, mais je n'aime pas tellement la compagnie des moustiques.

Counter 37:40–38:06

Mini-scène 2.

NICOLAS: Et toi, qu'est-ce que tu fais pendant les vacances?

MALIK: Euh moi, je vais faire du camping sauvage dans le Parc National des Cévennes avec un copain.

NICOLAS: Tu as déjà fait ça?

MALIK: Non, c'est la première fois.

NICOLAS: Tu as l'équipement nécessaire?

MALIK: Oui, j'ai reçu un sac de couchage pour mon anniversaire et j'ai acheté le reste.

Section 2: Les voyages à l'étranger pp. 438–439

Counter 38:07–40:23

MATTHIEU: Tous les jeunes Français doivent apprendre au moins une langue étrangère et souvent ils en étudient deux. Ils commencent en général par l'anglais à l'âge de onze ans. À treize ans, ils peuvent choisir une autre langue, comme l'allemand, l'espagnol, l'italien ou le russe. Pour se perfectionner, ils passent souvent quelques semaines en été dans un pays étranger pour faire un séjour linguistique. Ceux qui étudient l'anglais vont en Angleterre ou en Irlande et parfois aux États-Unis. Pour l'allemand, on va en Allemagne, et pour l'espagnol on va en Espagne. Écoutez la conversation suivante.

INTERVIEWER: Et toi, tu vas voyager cet été?

TRINH: Oui, je vais à l'étranger pour faire un séjour linguistique.

INTERVIEWER: Dans quel pays?

TRINH: En Allemagne.

INTERVIEWER: Tu étudies l'allemand au lycée?

TRINH: Et aussi l'anglais. J'ai commencé l'allemand l'année dernière.

INTERVIEWER: Alors, bonne chance dans tes études.

MATTHIEU: Quand on fait un voyage à l'étranger, on a besoin d'un passeport et parfois d'un visa. Quand ils vont aux États-Unis, les Français ont besoin d'un passeport comme celui-ci. Regardez-le bien. C'est un passeport européen qui est le même pour tous les pays de l'Union européenne, comme la France, l'Allemagne, la Belgique, l'Espagne, le Portugal. Pour voyager dans ces pays d'Europe, les Français n'ont pas besoin de passeport. Une simple carte d'identité suffit. Et aussi, quand on voyage dans ces pays, on n'a pas besoin de changer de l'argent. L'euro est utilisé dans un grand nombre de pays européens. C'est pratique, n'est-ce pas?

LEÇON 29 Le français pratique: Les vacances et les voyages

PE AUDIO

CD 5, Track 1

Aperçu culturel: Les Français en vacances, p. 434

Les «grandes vacances» commencent en juillet et finissent en septembre. Pour beaucoup de Français, c'est la période la plus importante de l'année. Les adultes ont cinq semaines de vacances payées par leurs compagnies. Pendant cette période, ils ne restent pas chez eux. Beaucoup quittent les villes et vont de préférence à la mer. D'autres vont à la campagne et à la montagne où ils font du «tourisme vert», c'est-à-dire, des excursions dans la nature.

1. Le 1er juillet, le 15 juillet et le 1er août sont les jours de «grands départs». Ces jours-là, des millions de Français partent en vacances, par le train ou en voiture.
2. À la différence des jeunes Américains, la majorité des jeunes Français ne travaillent pas pendant les vacances. En général, ils voyagent avec leurs parents. Les plus jeunes vont en colonies de vacances. Les «colos», ou centres de vacances, sont organisées par les écoles, les municipalités ou les entreprises où travaillent leurs parents. En colonie de vacances, les jeunes pratiquent toutes sortes de sports: natation, voile, canoë, etc.
3. Où loger pendant les vacances? On peut aller chez des amis, louer une villa ou aller à l'hôtel. Une autre solution, extrêmement populaire en France, est de faire du camping. La France est le pays d'Europe qui a le plus grand nombre de terrains de camping: 9 000 au total!

   En général, ces terrains de camping sont très bien équipés. Certains ont une piscine, des terrains de sport, des salles de jeux et même des restaurants et des boutiques.
4. Chaque année des millions d'étudiants étrangers visitent la France. Ils viennent principalement d'Angleterre, d'Allemagne, d'Italie et des États-Unis. Beaucoup sont logés dans des familles françaises. Ceux qui préfèrent voyager peuvent aller dans les «auberges de jeunesse». Ces auberges offrent un logement qui est bon marché et relativement confortable. Un autre avantage important est qu'on y rencontre d'autres jeunes de tous les pays du monde.
5. Pour beaucoup de jeunes Américains, le train est le moyen de transport le plus pratique, le plus économique et le plus rapide pour visiter la France et les autres pays d'Europe. En achetant un «Eurailpass», ils peuvent faire un nombre illimité de voyages dans 17 pays différents.

CD 5, Track 2

A. Vocabulaire: Les vacances, p. 436

Écoutez la conversation.

A: Où vas-tu aller pendant les vacances?
B: Je vais aller à la montagne.
A: Combien de temps est-ce que tu vas rester là-bas?
B: Je vais passer quinze jours.
A: Où est-ce que tu vas rester?
B: Je vais loger chez des amis pendant une semaine. Puis je vais louer une caravane.
A: Est-ce que tu es prêt à partir?
B: Oui, j'ai ma carte de la région et j'ai fait mes valises!

Maintenant regardez l'illustration.

Le camping

Pour transporter ses affaires, on utilise un sac à dos. #

Pour préparer ses repas, on utilise . . .
un réchaud #
une casserole #
une poêle #

Pour dormir, il est utile d'avoir . . .
une tente #
une couverture #
un sac de couchage #
une lampe de poche #

CD 5, Track 3

B. Vocabulaire: Les voyages à l'étranger, p. 438

Écoutez la conversation.

A: Qu'est-ce que tu vas faire cet été?
B: Je vais faire un séjour à l'étranger.
A: Quels pays est-ce que tu vas visiter?
B: Je vais visiter la France, le Portugal et l'Espagne.

CD 5, Track 4

C. Vocabulaire: À la gare et à l'aéroport, p. 440

Écoutez la conversation.

A: Vous désirez, mademoiselle?
B: Je voudrais un billet de train pour Bordeaux.
A: Un aller simple?
B: Non, un aller et retour.
A: En première classe ou en seconde classe?
B: En seconde classe, s'il vous plaît.
A: Voilà, c'est 112 euros.
B: À quelle heure part le prochain train?
A: Il part à quatorze heures.
B: Et à quelle heure est-ce qu'il arrive à Bordeaux?
A: Il arrive à seize heures cinquante-huit.

WORKBOOK AUDIO

Section 1. Culture

CD 13, Track 1

Activité A. Aperçu culturel: Les Français en vacances, p. 434

Allez à la page 434 de votre texte. Écoutez la lecture. De temps en temps vous allez entendre des phrases concernant ce texte. Indiquez si chaque phrase est vraie ou fausse.

Partie A

Les «grandes vacances» commencent en juillet et finissent en septembre. Pour beaucoup de Français, c'est la période la plus importante de l'année. Les adultes ont cinq semaines de vacances payées par leurs compagnies. Pendant cette période, ils ne restent pas chez eux. Beaucoup quittent les villes et vont de préférence à la mer. D'autres vont à la campagne et à la montagne où ils font du «tourisme vert», c'est-à-dire, des excursions dans la nature.

1. Le ler juillet, le 15 juillet et le ler août sont les jours de «grands départs». Ces jours-là, des millions de Français partent en vacances, par le train ou en voiture.
2. À la différence des jeunes Américains, la majorité des jeunes Français ne travaillent pas pendant les vacances. En général, ils voyagent avec leurs parents. Les plus jeunes vont en colonies de vacances. Les «colos», ou centres de vacances, sont organisées par les écoles, les municipalités ou les entreprises où travaillent leurs parents. En colonie de vacances, les jeunes pratiquent toutes sortes de sports: natation, voile, canoë, etc.

Maintenant, écoutez les phrases. Est-ce que c'est vrai ou faux?

1. Les grandes vacances commencent en juin. #
2. Pendant les vacances, les Français aiment voyager. #
3. Les colonies de vacances sont des centres de vacances pour les familles. #
4. Le 15 juillet, beaucoup de Français rentrent chez eux. #
5. En colonie de vacances, on fait du sport. #

Partie B

3. Où loger pendant les vacances? On peut aller chez des amis, louer une villa ou aller à l'hôtel. Une autre solution, extrêmement populaire en France, est de faire du camping. La France est le pays d'Europe qui a le plus grand nombre de terrains de camping: 9 000 au total!

   En général, ces terrains de camping sont très bien équipés. Certains ont une piscine, des terrains de sport, des salles de jeux et même des restaurants et des boutiques.
4. Chaque année des millions d'étudiants étrangers visitent la France. Ils viennent principalement d'Angleterre, d'Allemagne, d'Italie et des États-Unis. Beaucoup sont logés dans des familles françaises. Ceux qui préfèrent voyager peuvent aller dans les «auberges de jeunesse». Ces auberges offrent un logement qui est bon marché et relativement confortable. Un autre avantage important est qu'on y rencontre d'autres jeunes de tous les pays du monde.
5. Pour beaucoup de jeunes Américains, le train est le moyen de transport le plus pratique, le plus économique et le plus

rapide pour visiter la France et les autres pays d'Europe. En achetant un «Eurailpass», ils peuvent faire un nombre illimité de voyages dans 17 pays différents.

Maintenant, écoutez les phrases. Est-ce que c'est vrai ou faux?

6. En été, beaucoup de Français font du camping. #
7. En général, les terrains de camping français ne sont pas très bien équipés. #
8. La France est un pays très touristique. #
9. Les auberges de jeunesse sont des hôtels réservés aux étudiants français. #
10. Avec un «Eurailpass», on peut voyager en train. #

Maintenant, vérifiez vos réponses.

Partie A

1. Les grandes vacances commencent en juin. Faux. Elles commencent en juillet.
2. Pendant les vacances, les Français aiment voyager. Vrai.
3. Le 15 juillet, beaucoup de Français rentrent chez eux. Faux. Ce jour-là, ils partent en vacances.
4. Les colonies de vacances sont des centres de vacances pour les familles. Faux. C'est seulement pour les jeunes.
5. En colonie de vacances, on fait du sport. Vrai.

Partie B

6. En été, beaucoup de Français font du camping. Vrai.
7. En général, les terrains de camping français ne sont pas très bien équipés. Faux. Ils sont généralement bien équipés.
8. La France est un pays très touristique. Vrai.
9. Les auberges de jeunesse sont des hôtels réservés aux étudiants français. Faux. Les auberges de jeunesse reçoivent des étudiants de tous les pays.
10. Avec un «Eurailpass», on peut voyager en train. Vrai.

Section 2. Vocabulaire et Communication

CD 13, Track 2

Activité B. La réponse logique

Vous allez entendre une série de questions. Écoutez bien chaque question et choisissez la réponse logique à cette question. Marquez la lettre correspondante, a, b ou c, avec un cercle. Chaque question sera répétée.

Modèle: Comment vas-tu voyager?
La réponse logique est B: **En train.**

1. Tu vas en vacances cet été? #
2. Qu'est-ce que tu fais quand tu es à la mer? #
3. Vous allez rester à l'hôtel? #
4. Pourquoi fais-tu tes valises? #
5. Tu vas prendre une couverture? #
6. Qu'est-ce que tu as mis dans ton sac à dos? #
7. Quel pays aimerais-tu visiter? #
8. Dans quelle direction allons-nous?
9. Dans quel état habitent tes cousins? #
10. Vous voulez un aller et retour? #

Maintenant vérifiez vos réponses. You should have marked: 1–A, 2–B, 3–C, 4–A 5–A, 6–B, 7–C, 8–A, 9–C, and 10–C.

CD 13, Track 3

Activité C. Le bon choix

Répondez aux questions d'après les illustrations.

Modèle: Est-ce que Monsieur Durand voyage en train ou en voiture?
Il voyage en voiture.

1. Est-ce que Pauline va à la montagne ou à la mer? #
   Elle va à la mer.
2. Est-ce que Véronique a loué un vélo ou une auto? #
   Elle a loué un vélo.
3. Est-ce que les Dupont logent à l'hôtel ou chez des amis? #
   Ils logent à l'hôtel.
4. Est-ce que Thomas a une valise ou un sac à dos? #
   Il a une valise.
5. Est-ce que Philippe dort dans un lit ou dans un sac de couchage? #
   Il dort dans un sac de couchage.
6. Est-ce que Charlotte a besoin de la casserole ou de la poêle? #
   Elle a besoin de la casserole.
7. Est-ce que Caroline visite le Canada ou les États-Unis? #
   Elle visite les États-Unis.
8. Est-ce que Philippe visite l'Angleterre ou l'Allemagne? #
   Il visite l'Angleterre.
9. Est-ce que Sylvie visite la Suisse ou la Belgique? #
   Elle visite la Suisse.
10. Est-ce que Marc achète un billet de train ou un billet d'avion? #
    Il achète un billet d'avion.
11. Est-ce que Véronique achète un aller simple ou un aller et retour? #
    Elle achète un aller et retour.
12. Est-ce que Madame Mercier voyage en première classe ou en deuxième classe? #
    Elle voyage en première classe.

CD 13, Track 4

Activité D. Dialogues

Vous allez entendre deux dialogues. La première fois, écoutez attentivement le dialogue. La deuxième fois, écrivez les mots qui manquent dans votre cahier d'activités.

Dialogue A

Patrick parle à Stéphanie de ses projets de vacances.

STÉPHANIE: Dis, Patrick, qu'est-ce que tu vas faire cet été?
PATRICK: Je vais aller <u>à la mer</u> avec ma famille.
STÉPHANIE: Vous allez l<u>oger</u> à l'hôtel?
PATRICK: Ah non! C'est trop cher. Nous allons <u>louer une caravane</u>!
STÉPHANIE: Tu as de la chance! J'adore faire du camping!
PATRICK: Vraiment? Alors, tu as certainement un <u>sac de couchage</u>!
STÉPHANIE: Oui, pourquoi?
PATRICK: Est-ce que tu peux me le prêter?
STÉPHANIE: Bon, d'accord!

Maintenant écoutez et écrivez.

Dialogue B

À l'aéroport. Un touriste arrive au comptoir d'Air France.

EMPLOYÉE: Bonjour, monsieur. Vous avez votre <u>billet d'avion</u>?
TOURISTE: Oui, voilà.
EMPLOYÉE: Vous allez à New York et après à San Francisco, n'est-ce pas?
TOURISTE: Oui, je vais visiter <u>les États-Unis</u> pendant deux semaines.
EMPLOYÉE: Est-ce que je peux voir votre <u>passeport</u>?
TOURISTE: Voilà.

URB
p. 33

EMPLOYÉE: Merci . . . Combien de valises avez-vous?
TOURISTE: Ces deux-là!
EMPLOYÉE: Merci, et bon voyage!

Maintenant écoutez et écrivez.

CD 13, Track 5

Activité E. Répondez, s'il vous plaît!

Vous allez entendre une série de questions. Écoutez attentivement chaque question. Répondez sur la base de l'illustration correspondante.

Modèle: Quel pays vas-tu visiter?
Je vais visiter le Canada.

1. Quel pays est-ce que Stéphanie va visiter? #
   Elle va visiter l'Angleterre.
2. Quel pays est-ce que tes cousins vont visiter? #
   Ils vont visiter les États-Unis.
3. Quel pays est-ce que tes amis ont visité? #
   Ils ont visité l'Égypte.
4. Où vas-tu aller cet été? #
   Je vais aller à la montagne.
5. Où va Véronique cet été? #
   Elle va à la mer.
6. Que fais-tu? #
   Je fais mes valises.
7. Qu'est-ce que tu vas acheter? #
   Je vais acheter une carte.
8. Qu'est-ce qu'il y a sur la table? #
   Il y a une poêle.
9. Où vas-tu dormir? #
   Je vais dormir dans un sac de couchage (dans une tente).
10. Qu'est-ce que tu vas prendre? #
    Je vais prendre une lampe de poche.

Questions personnelles

Maintenant répondez aux questions suivantes. Utilisez seulement le vocabulaire que vous connaissez.

11. Pendant les vacances, préfères-tu aller à la mer ou à la campagne? #
12. Préfères-tu voyager en train ou en avion? #
13. Quels pays voudrais-tu visiter? #
14. Quel état voudrais-tu visiter? #

CD 13, Track 6

Activité F. Situation: Un billet d'avion

For spring vacation, Éric bas been invited by his cousin who lives in Montreal. He phones to reserve his ticket. Listen to the conversation between Éric and the ticket agent at Air France. Although you may not understand every word of the dialogue, you should be able to understand most of it.

AGENT: Allô, Air France, bonjour!
ÉRIC: Bonjour, mademoiselle. Je voudrais acheter un billet d'avion pour Montréal. (#)
AGENT: Vous avez de la chance. Nous avons des prix spéciaux ce mois-ci pour le Canada et les États-Unis . . . Désirez-vous un aller simple ou un aller et retour?
ÉRIC: Un aller et retour. (#)
AGENT: En quelle classe allez-vous voyager?
ÉRIC: En classe économie. (#)
AGENT: Très bien. Quel jour désirez-vous partir?
ÉRIC: Le 28 mars. (#)
AGENT: Et quand allez-vous rentrer?
ÉRIC: Le 10 avril. (#)

AGENT: Très bien, nous avons un vol pour Montréal le 28 mars, départ à 8h40 et un vol Montréal-Paris, le 10 avril, départ à 19h50. Voulez-vous que je prépare votre billet?

ÉRIC: Oui, s'il vous plaît.

AGENT: C'est à quel nom?

ÉRIC: Éric Duval.

AGENT: Laval?

ÉRIC: Non, Duval. D. U. V. A. L. (#)

AGENT: Très bien, vous pouvez prendre votre billet à notre agence des Champs-Élysées.

ÉRIC: Merci, mademoiselle.

AGENT: À votre service, monsieur.

Now imagine that you are the airline agent. In your workbook, fill out the request for the airline ticket on the basis of the information provided by Éric. You will hear the dialogue once more.

Now check what you have written by listening to the dialogue one last time.

LESSON 29 QUIZ

Part I: Listening

CD 22, Track 1

A. Conversations (30 points: 5 points each)

You will hear a series of short conversations. These conversations are incomplete. Select the most logical CONTINUATION of each conversation and circle the corresponding letter: a, b, or c.

Écoutez.

Conversation 1. Les grandes vacances sont finies. Claire téléphone à Nicolas.

CLAIRE: Qu'est-ce que tu as fait cet été?
NICOLAS: Je suis allé à la montagne. Et toi?
CLAIRE: Moi, je suis allée à la mer.
NICOLAS: Ah bon? Qu'est-ce que tu as fait là-bas?

Conversation 2. Stéphanie rentre chez elle. Son frère, Olivier, lui parle.

OLIVIER: D'où viens-tu?
STÉPHANIE: Des Nouvelles Galeries.
OLIVIER: Tu as fait des achats?
STÉPHANIE: Oui, j'ai acheté un sac de couchage.
OLIVIER: Pourquoi?

Conversation 3. Marc a une bonne nouvelle. Il téléphone à sa copine Michelle.

MARC: Tu sais où je vais aller cet été?
MICHELLE: Non, je ne sais pas.
MARC: Je vais aller au Canada avec mes cousins.
MICHELLE: Ah bon? Comment est-ce que vous allez voyager là-bas?

Conversation 4. Les Dulac vont faire un petit voyage ce week-end. Madame Dulac parle à son fils Christophe.

MME DULAC: Tu as rangé ta chambre?
CHRISTOPHE: Oui, maman. C'est fait.
MME DULAC: Et tu as fait tes valises?

Conversation 5. Jean-Pierre et Mélanie sont au café. Ils parlent des vacances.

JEAN-PIERRE: Qu'est-ce que tu vas faire cet été?
MÉLANIE: Je vais rendre visite à mes cousins. Ils habitent aux États-Unis.
JEAN-PIERRE: Ah bon? Où?

Conversation 6. Catherine et Julien habitent à Paris. Ils parlent aussi des vacances.

CATHERINE: Qu'est-ce que tu vas faire cet été?
JULIEN: Je vais rester ici pour travailler. Et toi?
CATHERINE: Moi, je vais faire un séjour à l'étranger.
JULIEN: Ah bon? Où?

QUIZ 29

Part I: Listening

A. Conversations (30 points: 5 points each)

You will hear a series of short conversations. These conversations are incomplete. Select the most logical continuation of each conversation and circle the corresponding letter: a, b, or c.

Conversation 1. Les grandes vacances sont finies. Claire téléphone à Nicolas.
Claire répond:
- a. J'ai fait du ski.
- b. J'ai fait du ski nautique.
- c. J'ai vu ma mère.

Conversation 2. Stéphanie rentre chez elle. Son frère, Olivier, lui parle.
Stéphanie répond:
- a. Je suis fatiguée.
- b. Je vais aller à l'hôtel.
- c. Je vais faire du camping ce week-end.

Conversation 3. Marc a une bonne nouvelle. Il téléphone à sa copine Michelle.
Marc répond:
- a. Nous allons louer une voiture.
- b. Nous allons prendre un aller et retour.
- c. Nous allons voyager en première classe.

Conversation 4. Les Dulac vont faire un petit voyage ce week-end. Madame Dulac parle à son fils Christophe.
Christophe répond:
- a. Oui, je suis prêt.
- b. Oui, je vais rester ici.
- c. Non, je vais loger chez un copain.

Conversation 5. Jean-Pierre et Mélanie sont au café. Ils parlent des vacances.
Mélanie répond:
- a. À Mexico.
- b. À San Francisco.
- c. À Montréal.

Conversation 6. Catherine et Julien habitent à Paris. Ils parlent aussi des vacances.
Catherine répond:
- a. À Paris.
- b. En Provence.
- c. En Espagne.

Part II: Writing

B. Géographie (18 points: 3 points each)

Complete the chart by writing in the country where each of the following cities is located. (Don't forget to use the appropriate article.)

villes	pays
1. Tokyo	____________
2. Chicago	____________
3. Londres *(London)*	____________
4. Berlin	____________
5. Moscou	____________
6. Genève	____________

Nom ____________________

Classe ____________________ Date ____________________

C. Camping (6 points: 2 points each)

You are going camping this weekend. List three (3) objects you may need on your trip.

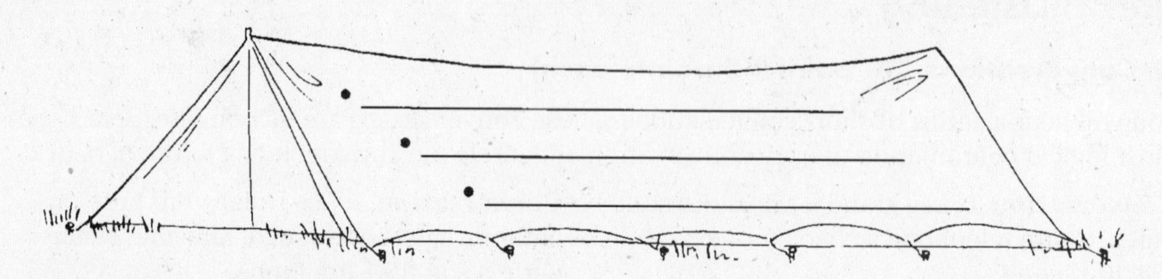

D. Dialogues (16 points: 4 points each)

Complete the following mini-dialogues with the appropriate words or expressions.

1. —Tu vas rester en France cet été?
   —Non, je vais faire ____________.
2. —Vous désirez un aller et retour?
   —Non, donnez-moi ____________.
3. —Est-ce que tu sais comment aller en Normandie?
   —Oui, j'ai acheté ____________ de la région.
4. —Où as-tu mis les ____________?
   —Dans le coffre *(trunk)* de la voiture.

E. Expression personnelle (30 points: 5 points each)

Let's talk about your travels, past and present, real or imaginary. Answer the following questions in French. Use complete sentences.

- In the summer, do you prefer to go to the mountains or to the ocean?
- When you travel, do you prefer to go camping or to stay in a hotel?
- Do you prefer to carry your things **(mes affaires)** in a backpack or in a suitcase?
- Have you travelled abroad?
- What European countries would you like to visit? Name two.
- What non-European countries would you like to visit? Name two.

Nom ______________________________________ **Discovering FRENCH** *Nouveau!*

Classe ____________________ Date ______________ BLANC

LEÇON 30 Les collections de Jérôme

LISTENING/SPEAKING ACTIVITIES

Section 1. Vidéo-scène

A. Compréhension générale

Allez à la page 442 de votre texte. Écoutez.

B. Avez-vous compris?

	Partie A vrai	Partie A faux		Partie B vrai	Partie B faux
1.	☑	❑	5.	❑	☑
2.	☑	❑	6.	☑	❑
3.	❑	☑	7.	❑	☑
4.	☑	❑	8.	☑	❑

Section 2. Langue et communication

C. Un long voyage

▶ en Allemagne

1. en Italie
2. en Espagne
3. au Portugal
4. au Mexique
5. aux États-Unis
6. au Canada
7. en Angleterre
8. en France

▶**Elle a des photos d'Allemagne.**

1. Elle a des photos d'Italie.
2. Elle a des photos d'Espagne.
3. Elle a des photos du Portugal.
4. Elle a des photos du Mexique.

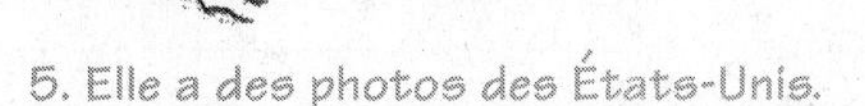

5. Elle a des photos des États-Unis.
6. Elle a des photos du Canada.
7. Elle a des photos d'Angleterre.
8. Elle a des photos de France.

URB p. 39

Nom ______________________________

Classe ____________________ Date ______________

D. Le courrier *(mail)*

1. Elle reçoit une carte.
2. Tu reçois une lettre.
3. Nous recevons un paquet.

▶ Nicole reçoit du courrier. **Elle reçoit une lettre.**

▶ Nicole

1. Sophie

2. tu

3. nous

4. je

5. mes parents

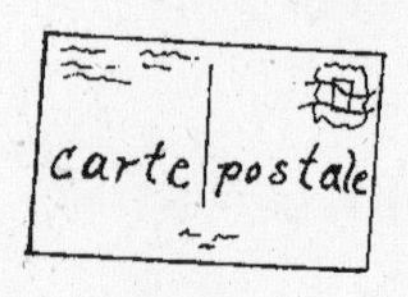

6. vous

4. Je reçois un télégramme.
5. Ils reçoivent un cadeau.
6. Vous recevez une carte postale.

E. Alain

▶ Alain ne sait pas nager. **Il apprend à nager.**

Alain	▶ apprendre à	1. apprendre à	2. réussir à	3. commencer à	4. continuer à	5. hésiter à

1. Il apprend à jouer au tennis.
2. Il réussit à gagner son match.
3. Il oommence à jouer au ping-pong.
4. Il continue à jouer au volley.
5. Il hésite à faire de a planche à voile.

F. Le régime de Monsieur Depois

▶ Monsieur Depois veut maigrir. **Il essaie de maigrir.**

M. Depois	▶ essayer de	1. rêver de	2. décider de	3. refuser de	4. arrêter de	5. cesser de	6. accepter de	7. n'oublier pas de
DE								

1. Il rêve de perdre cinq kilos.
2. Il décide de faire des exercices.
3. Il refuse de manger de la glace.
4. Il arrête de manger entre les repas.
5. Il cesse de manger des pizzas.
6. Il accepte de manger beaucoup de salade.
7. Il n'oublie pas de boire beaucoup d'eau.

URB p. 40

WRITING ACTIVITIES

A 1. Où sont-ils allés?

Ces personnes sont allées à l'étranger cet été. Lisez ce qu'elles ont fait et dites dans quel pays chaque personne est allée.

le Canada
l'Égypte
les États-Unis
l'Italie
le Japon
le Mexique
la Russie

▶ Catherine a visité la Grande Pyramide.
Elle est allée en Égypte.

1. J'ai acheté un sombrero.
   Je suis allé(e) au Mexique.
2. Juliette est descendue dans le Grand Canyon.
   Elle est allée aux États-Unis.
3. Nous avons visité le Kremlin.
   Nous sommes allé(e)s en Russie.
4. Tu as pris des photos de Rome.
   Tu es allé(e) en Italie.
5. Mes copains ont visité la Citadelle de Québec.
   Ils sont allés au Canada.
6. Vous avez visité les temples bouddhistes.
   Vous êtes allé(e)s au Japon.

B 2. Vous êtes le prof (sample answers)

Déterminez la note (A, B, C, D ou F) que reçoivent les étudiants suivants. Utilisez le verbe **recevoir** au PRÉSENT pour les phrases 1 à 6 et au PASSÉ COMPOSÉ pour les phrases 7 et 8.

▶ Philippe n'écoute pas toujours le prof. Il reçoit un C (un B, un D).

1. Nous faisons toujours les devoirs. Nous recevons un A.
2. Sylvie et Hélène sont sérieuses. Elles reçoivent un A.
3. Tu n'es pas venu à l'examen. Tu reçois un F.
4. Je ne suis pas très bon(ne) en français. Je reçois un C.
5. Vous dormez en classe. Vous recevez un F.
6. Alice répond bien aux questions. Elle reçoit un A.
7. J'ai réussi à l'examen. J'ai reçu un B.
8. Ces élèves sont très paresseux. Ils ont reçu un D.

URB p. 41

Nom ______________________________

Classe ____________________ Date ____________

Discovering FRENCH Nouveau!

BLANC

C 3. Le club de tennis

Ces personnes sont membres d'un club de tennis. Dites ce que chacun fait. Pour cela, complétez les phrases avec **à** ou **de.**

1. Robert a décidé _de_ prendre des leçons.
2. Hélène apprend _à_ servir.
3. Jean-Philippe commence _à_ à jouer assez bien.
4. Thomas rêve _d'_ être un grand champion.
5. Éric accepte _de_ jouer avec-lui.
6. Sylvie refuse _de_ jouer avec Thomas.
7. Anne hésite _à_ participer au championnat *(championship tournament)*.
8. Caroline continue _à_ faire des progrès.
9. Julien essaie _de_ gagner son match.
10. Charlotte a fini _de_ jouer.

C 4. Conversations

Complétez les réponses en utilisant la construction VERBE + INFINITIF. Utilisez le verbe entre parenthèses et l'infinitif de l'expression soulignée.

▶ Tu joues de la guitare?
(apprendre) Oui, j'apprends à jouer avec un prof.

1. Tu parles français?
(apprendre) Oui, _j'apprends à parler français_ à l'Alliance Française.
2. Tu prends des leçons?
(continuer) Oui, _je continue à prendre des leçons_.
3. Tu travailles le soir?
(arrêter) Non, _j'arrête de travailler_ à six heures.
4. Tu étudies le samedi?
(refuser) Non, _je refuse d'étudier_ le week-end.
5. Tu vas au Canada cet été?
(rêver) Oui, _je rêve d'aller_ à Québec.
6. Tu es généreux avec tes copains?
(essayer) Oui, _j'essaie d'être généreux(euse)_ avec eux.
7. Tu prêtes tes CD?
(accepter) Oui, _j'accepte de prêter mes CD_ à mes copains.
8. Tu sors cet après-midi?
(hésiter) Non, _j'hésite à sortir_ parce qu'il pleut.

URB p. 42

C 5. Problèmes!

Expliquez les problèmes des personnes suivantes. Pour cela utilisez les verbes entre parenthèses au PASSÉ COMPOSÉ. Attention: vos phrases peuvent être *à l'affirmatif* ou *au négatif*.

▶ Marc (réussir / réparer sa mobylette?)
Marc n'a pas réussi à réparer sa mobylette.

1. Thomas (oublier / inviter sa copine?)
   Thomas a oublié d'inviter sa copine.
2. Les voisins (arrêter / faire du bruit *(noise)* la nuit dernière?)
   Les voisins n'ont pas arrêté de faire du bruit la nuit dernière.
3. Le client (refuser / payer l'addition?)
   Le client a refusé de payer l'addition.
4. Les élèves (finir / faire leurs devoirs?)
   Les élèves n'ont pas fini de faire leurs devoirs.
5. Le garagiste (commencer / réparer notre voiture?)
   Le garagiste n'a pas commencé à réparer notre voiture.
6. Catherine (essayer / téléphoner à sa grand-mère pour son anniversaire?)
   Catherine n'a pas essayé de téléphoner à sa grand-mère pour son anniversaire.
7. Ma montre (cesser / fonctionner?)
   Ma montre a cessé de fonctionner.

URB p. 43

Nom ______________________________

Classe ______________________ Date ______________

Discovering FRENCH Nouveau!

BLANC

6. Communication: Réflexions personnelles (sample answers)

Parlez de vous-même. Pour cela, utilisez trois des verbes suggérés dans des phrases à l'affirmatif ou au négatif.

accepter	apprendre	décider	essayer	hésiter
oublier	refuser	réussir	rêver	

▶ Je rêve d'avoir une famille et un travail intéressant.
Je ne rêve pas d'être très riche.

- *J'ai réussi à faire tous mes devoirs ce week-end.*
  Je n'ai pas réussi à l'examen ce matin.
- *J'apprends à parler français.*
  Je n'apprends pas à parler russe.
- *J'accepte de travailler pendant la semaine.*
  Je n'accepte pas de travailler pendant le week-end.

FUTUR(E) PATRON(NE)
Adressez lettre + photo à: F.E.C.,
16, rue Matheron, 13100 AIX-EN-PROVENCE,
sous référence P2

ÉQUIPEMENT AUTOMOBILE HELLA
ingénieur
27 ans environ,
3 ans d'expérience professionnelle
connaissance de l'anglais souhaitée
Jean-Paul TROMEUR HELLA S.A.
BP 7 - 93151 LE BLANC MESNIL Cédex

CABINET D'AVOCATS
BISDORF - PLANTEC
3 bis avenue Colbert
Saint Cloud
02 39 16 14 02

M.L. DUBREAS
"INFIRMIÈRES"
soins à domicile et en cabinet
jour et nuit
30 rue Homère Clément
97200 Fort-de-France

URB p. 44

Nom ______________________________

Classe ______________________ Date ______________

Discovering FRENCH Nouveau!

BLANC

LEÇON 30 Les collections de Jérôme

A

Activité 1 Les pays

Mettez un cercle autour de la préposition qui convient.

Elles vont . . .

1. *en* / *au* / *aux* Canada
2. *en* / *au* / *aux* Argentine
3. *en* / *au* / *aux* États-Unis
4. *en* / *au* / *aux* Espagne
5. *en* / *au* / *aux* Sénégal

Ils viennent . . .

6. *de* / *du* / *des* Mexique
7. *d'* / *de* / *du* Russie
8. *de* / *du* / *des* Japon
9. *d'* / *de* / *du* Inde
10. *de* / *du* / *des* Guatemala

Activité 2 Vacances à Paris

Complétez les phrases avec la forme correcte de **recevoir** ou d'**apercevoir.**

1. Du bateau-mouche, nous avons aperçu ______ le Louvre.
2. De la fenêtre du restaurant à l'hôtel, nous apercevons ______ maintenant la tour Eiffel.
3. J'ai reçu ______ une carte postale de mon copain.
4. Ma copine Louise reçoit ______ toujours plein de cartes postales pendant les vacances.
5. De ma chambre, j'aperçois ______ des touristes assis au café.

Activité 3 Que fait chacun?

Choisissez la préposition qui convient dans chaque phrase.

1. a décidé *à* / *de* sortir avec ses copines.
2. apprend *à* / *de* jouer de la flûte.
3. réussissent *à* / *de* faire un beau gâteau.
4. finissent *à* / *de* jouer au tennis.
5. commencent *à* / *de* parler au téléphone.

URB p. 45

Nom ______________________

Classe ______________ Date ______________

Discovering FRENCH Nouveau!

BLANC

B

Activité 1 Les pays

Complétez les phrases suivantes.

1. (Inde, Japon et Chine) Patrick vient d'Inde, du Japon et de Chine ______________.
2. (Belgique, France et Portugal) J'ai visité la Belgique, la France et le Portugal ______________.
3. (Canada, États-Unis et Argentine) Anne a été au Canada, aux États-Unis et en Argentine ______________.

Activité 2 En vacances

Complétez les phrases suivantes avec la forme correcte de **recevoir** ou d'**apercevoir.**

1. Je reçois ______________ une [letter] de mes grands-parents une fois par mois.
2. Est-ce que tu as reçu ______________ la [postcard] que je t'ai envoyée de vacances?
3. Mon copain m'écrit qu'il aperçoit ______________ l' [Arc de Triomphe] de sa chambre d'hôtel.
4. De notre chambre d'hôtel, nous apercevons ______________ un [stadium]!
5. Mes [cats] reçoivent ______________ beaucoup d'attention.

Activité 3 Conseils d'amis

Vous travaillez trop et vos amis vous donnent des conseils. Mettez un cercle autour de la préposition ou du blanc qui convient.

Tu dois *à* / *de* / (___) sortir plus souvent. Tu commences (*à*) / *de* / ___ oublier *à* / (*de*) / ___ t'amuser. Arrête *à* / (*de*) / ___ travailler comme ça. Nous pouvons peut-être *à* / *de* / (___) aller au cinéma. Ou tu peux apprendre (*à*) / *de* / ___ jouer d'un instrument de musique. Continue (*à*) / *de* / ___ jouer au tennis parce que tu aimes ça et tu peux *à* / *de* / (___) gagner le tournoi cet été. N'hésite pas (*à*) / *de* / ___ nous téléphoner si tu décides *à* / (*de*) / ___ sortir ce week-end.

C

Activité 1 Les pays

Écrivez la préposition qui convient.

en	au	aux	de	d'	du

1. Je suis aux États-Unis.
2. Je viens d' Allemagne.
3. Je vais au Brésil.
4. Tu es au Canada.
5. Tu viens du Japon.
6. Tu vas en Espagne.
7. Il est en Russie.
8. Il vient de Chine.
9. Il va au Portugal.
10. Elle est en France.
11. Elle viens de Suisse.
12. Elle va en Égypte.

Activité 2 Au téléphone (sample answers)

Faites des phrases complètes en utilisant **recevoir** et **apercevoir,** et en vous servant des illustrations.

1. Ce matin, j'ai aperçu le chien des voisins.

2. Est-ce que tu aperçois la tour Eiffel de ta chambre d'hôtel?

3. Est-ce que vous recevez beaucoup de cartes postales?

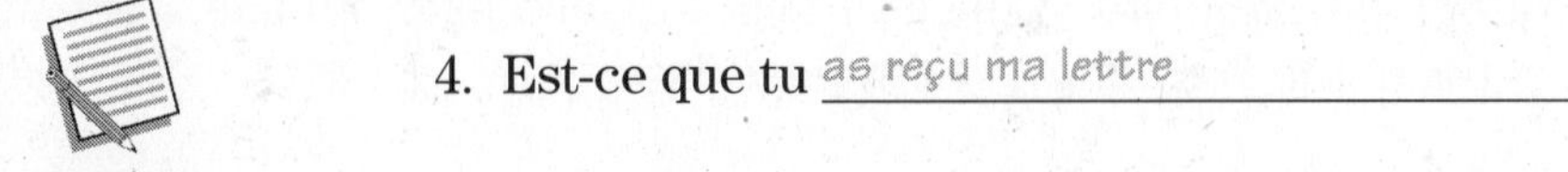

4. Est-ce que tu as reçu ma lettre?

5. Chez nos grands-parents, nous recevons beaucoup de cadeaux.

Activité 3 Questions (sample answers)

Répondez aux questions en utilisant la préposition **à** ou **de.**

1. —Qu'est-ce que tu as essayé de nouveau?

   —J'ai essayé de faire la cuisine.

2. —Qu'est-ce que tu as appris cette année?

   —J'ai appris à faire de la planche à voile.

3. —Qu'est-ce que tu espères réussir?

   —J'espère réussir à parler français sans faire de fautes.

4. —Quelle est ta destination de rêve?

   —Je rêve d'aller à Tahiti.

URB p. 47

LEÇON 30 Les collections de Jérôme, page 442

Objectives

Communicative Functions and Topics
- To talk about countries
- To describe actions and activities
- To read for pleasure and to develop critical thinking

Linguistic Goals
- To use prepositions with names of countries
- To use the verbs ***recevoir*** and ***apercevoir***
- To use the construction verb + infinitive

Cultural Goals
- To learn about favorite vacation plans of French young people

Motivation and Focus

- ❑ Have students look at the photos on pages 442–443. Students can describe the room and guess whose room it is. Ask where the various items that Pierre and Armelle are looking at might be from. Did Jérôme travel to all those places?

Presentation and Explanation

- ❑ *Vidéo-scène:* Do **Video Activities** 1–2 on page 59. Read the introductory paragraph on page 442. Play **Video** 2 or **DVD** 2, Counter 40:29–42:02 or **Audio** CD 5, Track 5. Ask students to locate the places mentioned on the map on **Overhead Transparencies** 2a and b. Have students read the *Vidéo-scène*, pages 442–443, and comment on Jérôme's collection. Explain the CULTURAL NOTES, page 442 of the TE.
- ❑ *Grammar A:* Present prepositions used with names of countries, page 444. Explain masculine, feminine, and plural forms in the grammar box, page 444. Students can talk about countries using the prepositions.
- ❑ *Grammar B:* Introduce the verbs ***recevoir*** and ***apercevoir***, page 445. Call attention to the irregular forms in the grammar box. Ask questions using these verbs.
- ❑ *Grammar C* and *Vocabulaire:* Use **Overhead Transparency** 63 to present verbs followed by infinitives, page 446. Model the examples in the grammar box and have students repeat. Have students study the verbs in the *Vocabulaire* box, page 446.

Guided Practice and Checking Understanding

- ❑ Check understanding of the *Vidéo-scène* with the *Compréhension* activity on page 443.
- ❑ Use **Overhead Transparency** 63 to practice verbs plus infinitives. Have students ask and answer questions using the sentences in Description, page A153.
- ❑ Play **Audio** CD 13, Tracks 7–12 or read the **Audioscript** and have students do **Workbook** Listening/Speaking Activities A–F on pages 273–274.
- ❑ Have students complete **Video Activities** 3–7, pages 60–63, as they watch the **Video** or listen to you read the **Videoscript**.
- ❑ Do the COMPREHENSION LISTENING ACTIVITY, page 446 of the TE, with **Overhead Transparency** 63 to help students recognize which prepositions are used with the various verbs.

Independent Practice

- ❑ Model Activities 1–7, pages 444–447. Students can do 3 and 5 for homework and 1–2, 4, and 6–7 in pairs.
- ❑ Use **Communipak** *Tu as la parole* 3 (page 152), *Conversation* 3 (page 155), or **Video Activities** Activity 8, page 64, for pair practice.

- ❑ Have students do any appropriate activities in **Activités pour tous**, pages 165–167.

Monitoring and Adjusting

- ❑ Monitor students' writing as they work with **Workbook** Writing Activities 1–6 on pages 275–278.
- ❑ Monitor students as they do the practice activities, referring them to the grammar boxes on pages 444–446 as needed. Use the LANGUAGE NOTE, EXTRA PRACTICE ACTIVITY, and CHALLENGE activity on pages 444 and 446 of the TE to help meet all students' needs.

Assessment

- ❑ After completing the lesson's activities, administer Quiz 30 on pages 73–74. Use the **Test Generator** to adapt questions to your class's needs.

Reteaching

- ❑ If students had difficulty with any of the activities in the **Workbook**, reteach the content and have them redo the activity.
- ❑ Individual students can use the **Video** to review portions of the lesson.
- ❑ Use the **Teacher to Teacher** puzzle on page 46 to reteach verbs + infinitives.

Extension and Enrichment

- ❑ Share the CULTURAL NOTES, page 445 of the TE, about places in Montreal.

Summary and Closure

- ❑ Have pairs of students present role plays about what the people on **Overhead Transparency** 63 are doing. Use the activity at the bottom of page A153. Other students can summarize the linguistic and communicative goals demonstrated in the role plays.
- ❑ Do PORTFOLIO ASSESSMENT as described on page 447 of the TE.

End-of-Lesson Activities

- ❑ *À votre tour!:* Do Activity 1 at the bottom of page 447. Model answers to the activity with **Audio** CD 5, Track 6.
- ❑ *Lecture:* Use the PRE-READING ACTIVITY, page 448 of the TE, to discuss students' travel experiences. Pairs can read the vacation descriptions and choose from the countries on page 449. Do the OBSERVATION ACTIVITY, page 449 of the TE. Students may want to write their own descriptions of travel in different countries for the POST-READING ACTIVITY, page 449 of the TE. Assign pages 294–295 of *C'est la vie* in the **Workbook**.

LEÇON 30 Les collections de Jérôme, page 442

Block Scheduling (1 Day to Complete)

Objectives

Communicative Functions and Topics	To talk about countries To describe actions and activities To read for pleasure and to develop critical thinking
Linguistic Goals	To use prepositions with names of countries To use the verbs ***recevoir*** and ***apercevoir*** To use the construction verb + infinitive
Cultural Goals	To learn about favorite vacation plans of French young people

Block Schedule

Peer Teaching Ask pairs of students to turn to pages R14–R15 in their text. One student points to a country and says *aller* or *revenir*. The second student will then say he/she is going to or returning from that country: *Je vais au Canada* or *Je reviens du Canada*. Students should take turns until they've practiced all the countries on page 438. ■

Day 1

Motivation and Focus

- ❑ Have students look at the photos on pages 442–443. Students can describe the room and guess whose room it is. Ask where the various items that Pierre and Armelle are looking at might be from. Did Jérôme travel to all those places?

Presentation and Explanation

- ❑ *Vidéo-scène:* Do **Video Activities** Activity 1 on page 59. Read the introductory paragraph on page 442. Play **Video** 2 or **DVD** 2, Counter 40:29–42:02 or **Audio** CD 5, Track 5. Ask students to locate the places mentioned on the map on **Overhead Transparencies** 2a and b. Have students read the *Vidéo-scène,* pages 442–443, and comment on Jérôme's collection. Explain the CULTURAL NOTES, pages 442–443 of the TE.
- ❑ *Grammar A:* Present prepositions used with names of countries, page 444. Explain masculine, feminine, and plural forms in the grammar box, page 444. Students can talk about countries using the prepositions.
- ❑ *Grammar B:* Introduce the verbs ***recevoir*** and ***apercevoir***, page 444. Call attention to the irregular forms in the grammar box. Ask questions using these verbs.
- ❑ *Grammar C* and *Vocabulaire:* Use **Overhead Transparency** 63 to present verbs followed by infinitives, page 446. Model the examples in the grammar box and have students repeat. Have students study the verbs in the *Vocabulaire* box, page 446.

Guided Practice and Checking Understanding

- ❑ Check understanding of the *Vidéo-scène* with the *Compréhension* activity on page 443.
- ❑ Use **Overhead Transparency** 63 to practice verbs plus infinitives. Have students ask and answer questions using the sentences in Description, page A153.
- ❑ Play **Audio** CD 13, Tracks 7–12 or read the **Audioscript** and have students do **Workbook** Listening/Speaking Activities A–F on pages 273–274.

- ❑ Do the COMPREHENSION LISTENING ACTIVITY, page 446 of the TE, with **Overhead Transparency** 63 to help students recognize which prepositions are used with the various verbs.

Independent Practice

- ❑ Model Activities 1–7, pages 444–447. Do Activities 3 and 5 with the class and 1–2, 4, and 6–7 in pairs.
- ❑ Use **Communipak** *Tu as la parole* 3 (page 152), *Conversation* 3 (page 155), or **Video Activities** Activity 8, page 64, for pair practice as needed.
- ❑ Have students do any appropriate activities in **Activités pour tous**, pages 165–167.

Monitoring and Adjusting

- ❑ Monitor students' writing as they work with **Workbook** Writing Activities 1–6 on pages 275–278.
- ❑ Monitor students as they do the practice activities, referring them to the grammar boxes on pages 444–446 as needed.

End-of-Lesson Activities

- ❑ *À votre tour!:* Do Activity 1 at the bottom of page 447. Model answers to the activity with **Audio** CD 5, Track 6.
- ❑ *Lecture:* Use the PRE-READING ACTIVITY, page 448 of the TE, to discuss students' travel experiences. Pairs can read the vacation descriptions and choose the countries on page 449. Do the OBSERVATION ACTIVITY, page 447 of the TE.

Reteaching (as needed)

- ❑ Use **Block Scheduling Copymasters**, pages 241–248.
- ❑ Have students do the **Block Schedule Activity** at the top of the previous page.
- ❑ Use the **Teacher to Teacher** puzzle on page 46 to reteach verbs + infinitives.

Extension and Enrichment (as desired)

- ❑ Students may want to write their own descriptions of travel in different countries for the POST-READING ACTIVITY, page 449 of the TE.
- ❑ Share the CULTURAL NOTES, page 445 of the TE, about places in Montreal.

Summary and Closure

- ❑ Have pairs of students present role plays about what the people on **Overhead Transparency** 63 are doing. Use the activity at the bottom of page A153. Other students can summarize the linguistic and communicative goals demonstrated in the role plays.
- ❑ Do PORTFOLIO ASSESSMENT as described on page 447 of the TE.

Assessment

- ❑ After completing the lesson's activities, administer Quiz 30 on pages 73–74. Use the **Test Generator** to adapt questions to your class's needs.

Nom ____

Classe ____________________________ Date ______________

Discovering FRENCH Nouveau

BLANC

LEÇON 30 Vidéo-scène: Les collections de Jérôme, pages 442–443

Materials Checklist

- ❑ **Student Text**
- ❑ **Audio** CD 5, Track 5; **Audio** CD 13, Tracks 7–8
- ❑ **Video** 2 or **DVD** 2, Counter 40:29–42:02
- ❑ **Workbook**

Steps to Follow

- ❑ Before you watch the **Video** or **DVD**, or listen to the **CD**, read *Compréhension* (p. 443). This will help you understand what you see and hear.
- ❑ Look at the photos on pages 442–443 while you read the text. Write down any unfamiliar words or expressions. Check meanings. Listen to **Audio** CD 5, Track 5.
- ❑ Watch **Video** 2 or **DVD** 2, Counter 40:29–42:02. Pause and replay if necessary.
- ❑ Do Listening/Speaking Activities, Section 1, Activities A–B in the **Workbook** (p. 273). Use **Audio** CD 13, Tracks 7–8.
- ❑ Answer the questions in *Compréhension* (p. 443).

If You Don't Understand . . .

- ❑ Watch the **Video** or **DVD** in a quiet place. Try to stay focused. If you get lost, stop the **Video** or **DVD**. Replay it and find your place.
- ❑ Listen to the **CDs** in a quiet place. If you get lost, stop the **CDs**. Replay them and find your place. Repeat what you hear. Try to sound like the people on the recording.
- ❑ On a separate sheet of paper, write down new words and expressions. Check meanings.
- ❑ Say aloud anything you write. Make sure you understand everything you say.
- ❑ Write down any questions so that you can ask your partner or your teacher later.

Self Check

Répondez aux questions suivantes.

1. Quand est-ce que Jérôme a téléphoné à Pierre?
2. Pourquoi est-ce qu'il a téléphoné?
3. Est-ce que Jérôme est là quand Pierre et Armelle arrivent chez lui?
4. Que pense Armelle des objets que Jérôme a collectionnés?
5. De quel pays vient le chapeau qu'Armelle essaie?

Answers

1. Jérôme a téléphoné à Pierre hier. 2. Il a téléphoné pour inviter Pierre et Armelle à passer chez lui. 3. Jérôme n'est pas là quand Pierre et Armelle arrivent. 4. Armelle pense que la collection est très intéressante. 5. Le chapeau vient des États-Unis.

A. L'usage des prépositions avec les noms de pays, page 444

Materials Checklist

- ❑ **Student Text**
- ❑ **Audio** CD 13, Track 9
- ❑ **Workbook**

Steps to Follow

- ❑ Study *L'usage des prépositions avec les noms de pays* (p. 444). Copy the model sentences. Say them aloud.
- ❑ Do Listening/Speaking Activities, Section 2, Activity C in the **Workbook** (p. 273). Use **Audio** CD 13, Track 9.
- ❑ Do Activities 1 and 2 in the text (p. 444). Say your answers aloud.
- ❑ Do Writing Activity A 1 in the **Workbook** (p. 275).

If You Don't Understand . . .

- ❑ Reread activity directions. Put the directions in your own words.
- ❑ Read the model several times. Be sure you understand it.
- ❑ Say aloud everything that you write. Be sure you understand what you are saying.
- ❑ When writing a sentence, ask yourself, "What do I mean? What am I trying to say?"
- ❑ Listen to the **CD** in a quiet place. Try to stay focused. If you get lost, stop the **CD**. Replay it and find your place.
- ❑ Write down any questions so that you can ask your partner or your teacher later.

Self Check

Complétez les phrases suivantes d'après le modèle.

▶ Nous allons voyager. . . . cet été. (la France)
Nous allons voyager en France cet été.

1. Anne et Hélène reviennent. . . . (la Suède)
2. Ils sont. . . . cette année. (le Canada)
3. Elles aiment bien visiter. . . . (le Maroc)
4. Tu vas. . . . , n'est-ce pas? (le Brésil)
5. Est-ce que vous arrivez. . . . ? (la Russie)

Answers

1. Anne et Hélène reviennent de Suède. 2. Ils sont au Canada cette année. 3. Elles aiment bien visiter le Maroc. 4. Tu vas au Brésil, n'est-ce pas? 5. Est-ce que vous arrivez de Russie?

Nom ____

Classe ____________________________ Date ______________

B. Les verbes *recevoir et apercevoir,* page 445

Materials Checklist

- ❑ **Student Text**
- ❑ **Audio** CD 13, Track 10
- ❑ **Workbook**

Steps to Follow

- ❑ Study *Les verbes* ***recevoir*** *et* ***apercevoir*** (p. 445). Write the conjugations. Circle **ç** in the first-, second-, and third-person singular forms, in the third-person plural form, and in the past participle.
- ❑ Do Listening/Speaking Activities, Section 2, Activity D in the **Workbook** (p. 274). Use **Audio** CD 13, Track 10. Repeat everything you hear. Try to sound like the people in the recording.
- ❑ Do Activities 3 and 4 in the text (p. 445). Write your answers in complete sentences. Underline the verb in each sentence. Check spelling. Verify **ç**. Read your answers aloud.
- ❑ Do Writing Activity B 2 in the **Workbook** (p. 275).

If You Don't Understand . . .

- ❑ Reread activity directions. Put the directions in your own words.
- ❑ Read the model several times. Be sure you understand it.
- ❑ Say aloud everything that you write. Be sure you understand what you are saying.
- ❑ When writing a sentence, ask yourself, "What do I mean? What am I trying to say?"
- ❑ Listen to the **CD** in a quiet place. Try to stay focused. If you get lost, stop the **CD**. Replay it and find your place.
- ❑ Write down any questions so that you can ask your partner or your teacher later.

Self Check

Faites des phrases complètes avec les éléments suivants, d'après le modèle.

▶ je / recevoir / beaucoup de / lettres
Je reçois beaucoup de lettres.

1. Alain / apercevoir / le mont Fuji
2. vous / recevoir / amis / chez vous / le samedi
3. tu / recevoir / de bonnes notes / en français
4. de notre hôtel / nous / apercevoir / la Tour Eiffel
5. elles / recevoir / beaucoup de / cadeau / anniversaire

Answers

1. Alain aperçoit le mont Fuji. 2. Vous recevez des amis chez vous le samedi. 3. Tu reçois de bonnes notes en français. 4. De notre hôtel nous apercevons la Tour Eiffel. 5. Elles reçoivent beaucoup de cadeaux pour leur anniversaire.

C. La construction verbe + infinitif, pages 446–447

Materials Checklist

- ❑ **Student Text**
- ❑ **Audio** CD 5, Track 6; **Audio** CD 13, Tracks 11–12
- ❑ **Workbook**

Steps to Follow

- ❑ Study *La construction verbe + infinitif* (p. 446). Say the model sentences aloud.
- ❑ Study *Vocabulaire: Verbes suivis de l'infinitif* (p. 446). Write and learn the list **verbe + à + infinitif**. Write and learn the list **verbe + de + infinitif**. Say the model sentences aloud.
- ❑ Do Listening/Speaking Activities, Section 2, Activities E–F in the **Workbook** (p. 274). Use **Audio** CD 13, Tracks 11–12.
- ❑ Do Activities 5–7 in the text (pp. 446–447). Write the answers in complete sentences. Circle the verb + infinitive construction in each answer. Read your answers aloud.
- ❑ Do Writing Activities C 3–5 and 6 in the **Workbook** (pp. 276–278).
- ❑ Do Activity 1 of *À votre tour!* in the text (p. 447). Use **Audio** CD 5, Track 6.

If You Don't Understand . . .

- ❑ Reread activity directions. Put the directions in your own words.
- ❑ Read the model several times. Be sure you understand it.
- ❑ Say aloud everything that you write. Be sure you understand what you are saying.
- ❑ When writing a sentence, ask yourself, "What do I mean? What am I trying to say?"
- ❑ Listen to the **CDs** in a quiet place. Try to stay focused. If you get lost, stop the **CDs**. Replay them and find your place.
- ❑ Write down any questions so that you can ask your partner or your teacher later.

Self Check

Faites des phrases complètes d'après le modèle.

▶ Janine / arrêter / travailler la semaine prochaine
Janine arrête de travailler la semaine prochaine.

1. nous / hésiter / parler français.
2. tu / finir / jouer au volleyball
3. vous / commencer / étudier l'allemand
4. elles / décider / partir la semaine prochaine.
5. je / oublier / fermer la voiture à clé

Answers

1. Nous hésitons de parler français. 2. Tu finis de jouer au volleyball. 3. Vous commencez à étudier l'allemand. 4. Elles décident de partir la semaine prochaine. 5. J'oublie de fermer la voiture à clé.

Nom ____

Classe ___________________________ Date _______________

LEÇON 30 Les collections de Jérôme

Les lettres ou les cartes postales?

Ask a family member to imagine that a good friend is travelling. Find out if the family member would rather receive letters or postcards.

- First, explain your assignment.
- Next, help the family member pronounce the words. Model the pronunciation as you point to each picture.
- Then, ask the question, **Qu'est-ce que tu préfères recevoir . . . ?**
- When you have an answer, complete the sentence below.

les cartes postales?

ou

les lettres?

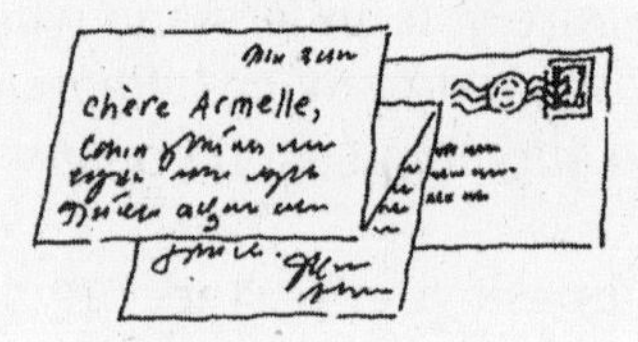

_____________________ **préfère recevoir** _______________________________.

Nom ______________________________

Classe ____________________ Date ______________

Discovering FRENCH Nouveau!

BLANC

Les leçons

Interview a family member. Find out what he or she would like to learn how to do. Choose from among the activities listed below.

- First, explain your assignment.
- Next, help the family member pronounce the words. Model the pronunciation as you point to each picture. Give English equivalents if necessary.
- Then, ask the question, **Qu'est-ce que tu veux apprendre à faire?**
- When you have an answer, complete the sentence at the bottom of the page.

Je voudrais apprendre à

faire la cuisine élégante

parler japonais

jouer du piano

chanter

____________________ **voudrait apprendre à** ______________________________.

URB
p. 57

BLANC

LEÇON 30 Les collections de Jérôme

Cultural Commentary

- Most activity in Annecy centers on the lake area southeast of the train station. The **Canal du Thiou** runs east and west through **la Vieille Ville**, leaving the medieval castle to the south and the main shopping area and **centre-ville** to the north. (See **Overhead Transparency** 5.)
- Notice the small door in the hallway. It is for the laundry chute.
- The door into Jérôme's bedroom opens and closes with a handle **(une poignée)** rather than a knob. This is typical of interior doors in French homes and apartments.
- **Une tampoura** is a large stringed instrument used in India and other countries throughout the Asian subcontinent.
- Jérôme has a double bed **(un lit double/un grand lit)** with two pillows **(les oreillers)**.
- With the exception of «**Horizons lointains**», the posters in Jérôme's bedroom are promotional travel scenes from **Jet Tours**®. French young people often decorate their rooms with posters **(les posters/affiches)**.
- **Le Marché aux puces** offers shoppers a wide variety of articles at bargain prices: clothing, jewelry, antique furniture, paintings and even cooking utensils. The flea markets are very popular with young people, especially for clothes shopping. Most **marchés aux puces** are held outdoors and moved inside only during bad weather.

Grammar Correlation

A L'usage des prépositions avec les noms de pays (Student text, p. 444)

Armelle: Dis, quand est-ce qu'il est allé **aux** États-Unis, Jérôme?
Pierre: Celui-ci vient **du** Mexique.
Ce masque vient **de la** Côte d'Ivoire.
C'est une tampoura. Ça vient **des** Indes.

C La construction verbe + infinitif (Student text, p. 446)

Pierre: Tu sais, il **aime collectionner** les objets.
À vrai dire, il n'**aime** pas beaucoup voyager.
Il **déteste prendre** les avions.

Nom ______________________________

Classe ____________________ Date ______________

Discovering FRENCH Nouveau!

BLANC

LEÇON 30 Les collections de Jérôme

Video 2, DVD 2

Activité 1. Et toi?

Beaucoup de jeunes Américains (et Français!) aiment collectionner des choses.

A. Et toi, est-ce que tu aimes collectionner des objets? [ ] Oui [ ] Non

B. Si oui, qu'est-ce que tu collectionnes?

Activité 2. Anticipe un peu!

Dans cet épisode, Pierre et Armelle vont aller voir quelqu'un qui aime collectionner des objets. Mais qui est-ce?

C'est— a. Corinne b. Mamie c. Jérôme

(Entoure [*circle*] la lettre de la bonne réponse.)

Nom ____

Classe ______________________________ Date ______________

Discovering FRENCH Nouveau!

BLANC

Activité 3. Où vont Pierre et Armelle?

Counter 40:36–41:01

Where are Pierre and Armelle going today? As you watch the video, read the sentences below and circle the letter of the correct completion.

1. Maintenant, Jérôme est ____.
   a. en mauvaise santé
   b. remis de son accident
   c. malade dans son appartement

2. Hier, il a téléphoné à ____.
   a. sa mère
   b. Armelle
   c. Pierre

3. Jérôme habite ____.
   a. dans un appartement
   b. dans une maison individuelle
   c. à la campagne

4. Il habite dans ____.
   a. un vieux quartier
   b. la banlieue
   c. un petit village

5. Jérôme n'est pas ____.
   a. chez ses parents
   b. en ville
   c. chez lui

Activité 4. La note

Counter 41:02–41:11

Who leaves a note and what does it say? As you watch the video, fill in the blanks in the sentences below.

Sur la porte, il y a une note de ______________________. Dans cette note, il dit qu'il sera de retour dans ______________________ minutes.

Activité 5. Des trucs intéressants

Counter 41:12–41:44

Pierre and Armelle are about to enter Jérôme's apartment. What will they find there? As you watch the video, draw a line from the objects on the left to the appropriate flags on the right. (*Note:* The objects are in the order mentioned.)

1. 

a. 
Mexique

2. 

b. 
États-Unis

3. 

c. 
Canada

d. 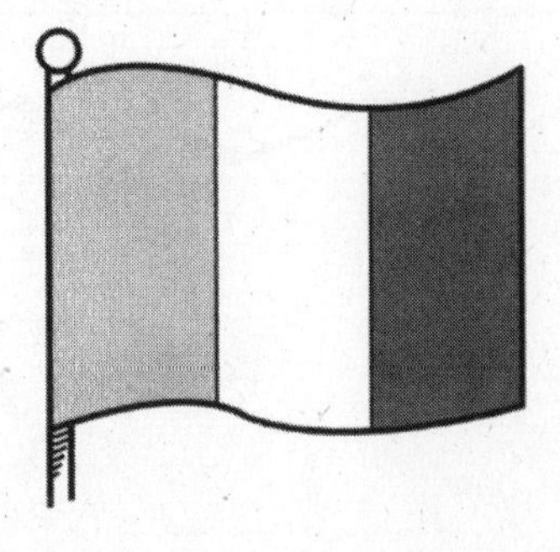
Côte d'Ivoire

Nom ______________________________

Classe ______________________ Date ______________

Activité 6. Les objets de Jérôme

Counter 41:45–42:02

Where does Jérôme buy the items he collects? As you watch the video, decide whether the sentences below are true or false. Place a check mark (✓) in the appropriate box.

	vrai	*faux*
1. Jérôme aime beaucoup voyager.	[ ]	[ ]
2. Il déteste prendre les trains.	[ ]	[ ]
3. Jérôme achète ses choses au Marché aux Puces.	[ ]	[ ]

▶ Enrichis ton vocabulaire

Upon entering Jérôme's apartment, Armelle comments, **«Dis donc, Jérôme a des tas de trucs intéressants»**. You can probably infer from the context that **un truc** refers to an unspecified object in general. When French young people talk, they often use **un truc** to replace two words you already know. What are they?

A. ______________ **B.** ______________

You, too, can speak French in a casual way! Rewrite the following lines from the video script using the word **truc**.

ARMELLE: Tu plaisantes! Mais alors, tous ces objets, où est-ce qu'il les a trouvés?

____

PIERRE: Au Marché aux Puces. Jérôme y achète des tas de choses bizarres.

____

Nom ______________________________

Classe ____________________ Date ____________

▶ EXPRESSIONS POUR LA CONVERSATIONS: Sans blague! Tu plaisantes?

A. When Pierre tells Armelle that Jérôme has never visited the United States, she exclaims, **«Sans blague!»**

What is Armelle saying? ______________________*

B. Then when she learns that Jérôme hates to fly, she asks Pierre, **«Tu plaisantes?»**

What is Armelle asking Pierre? ______________________*

Activité 7. Tu plaisantes!

Strange events can happen to anyone! Think of <u>two</u> things which have actually happened to you and one thing which has not (**un petit mensonge**). Write the three events in the empty bubbles below.

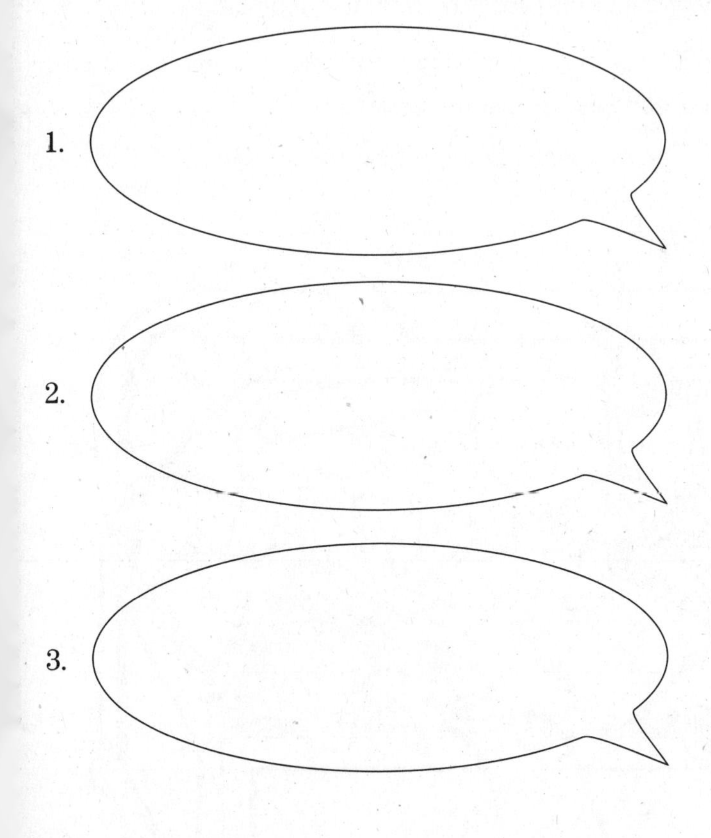

1.

2.

3.

Ça, c'est possible!

Tu plaisantes!

Now, get together with a classmate and read your three events aloud. As you read them a second time, your partner will respond to each statement with one of the two captions above, depending upon whether he/she believes you or not. When you finish, listen to your partner's statements and respond accordingly. Did you guess each other's **petit mensonge?**

Note:* There are two meanings for **Tu plaisantes, depending upon the speaker's intent:
Tu plaisantes? *Are you joking?*
Tu plaisantes! *You're (must be) joking!*

Nom ______________________________

Classe ____________________ Date ______________

Discovering FRENCH Nouveau

BLANC

Activité 8. Tu es collectionneur/collectionneuse!

Now you have a chance to collect some things as Jérôme has done. To do so, follow the steps below.

1. Choose five objects from the trunk below and quickly draw them on the bedroom table on the following page.* *Do not show your card to anyone!*
2. Get together with a classmate. Toss a coin to determine who will start the game.
3. Élève 1 tries to guess an object that Élève 2 collects by asking a question which Élève 2 in turn answers. If Élève 1 guesses the first object, he/she records the name of the item in the list and continues with another question. If Élève 1 does not guess correctly, play passes to Élève 2, and so on.
4. The game continues until both players have completed their lists. The winner is the first student to guess his/her partner's five items. Follow the model and speak only French!

ÉLÈVE 1: Dis, est-ce que tu aimes collectionner les pièces de monnaie (coins)?

ÉLÈVE 2: Mais oui, j'en ai une collection.

ÉLÈVE 1: Sans blague! Est-ce que tu collectionnes les tennis aussi?

ÉLÈVE 2: Ça non! Je n'ai pas de collection de tennis. Et toi, est-ce que tu aimes collectionner . . .

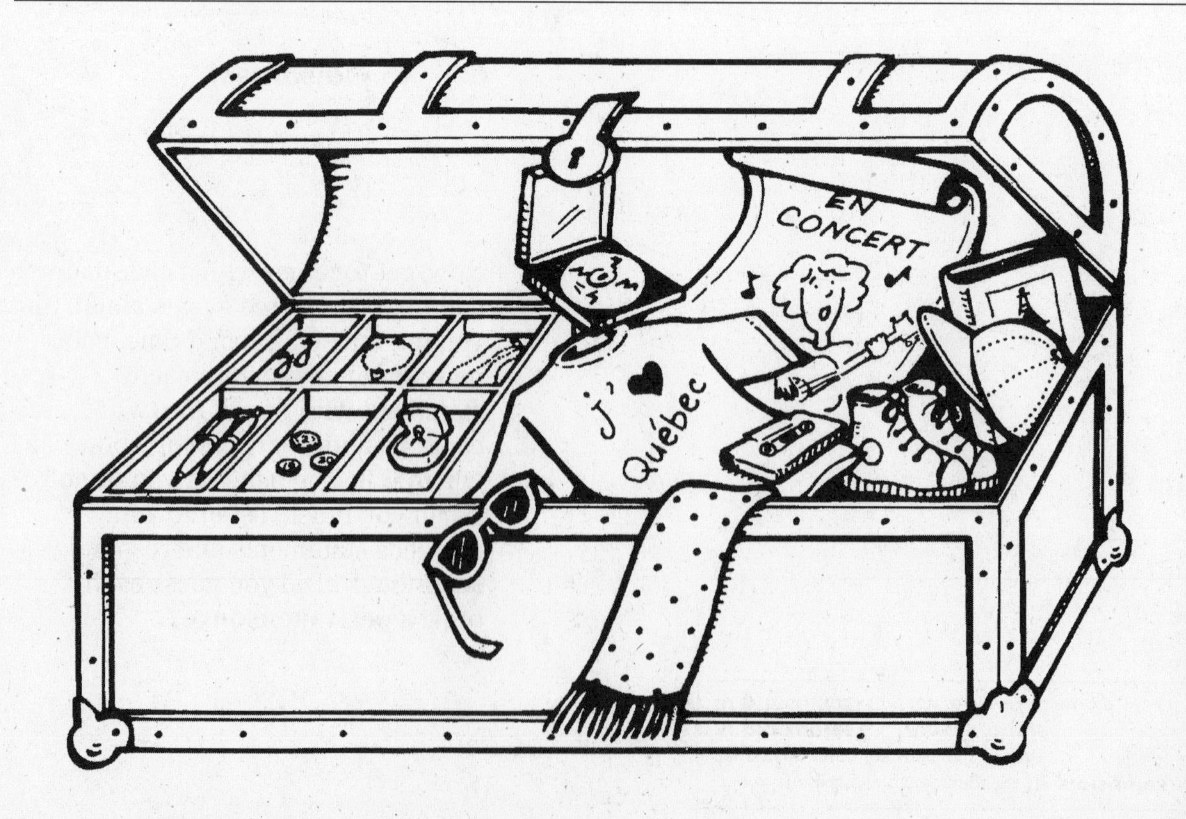

Nom ___

Classe ___ Date ___

MA CHAMBRE

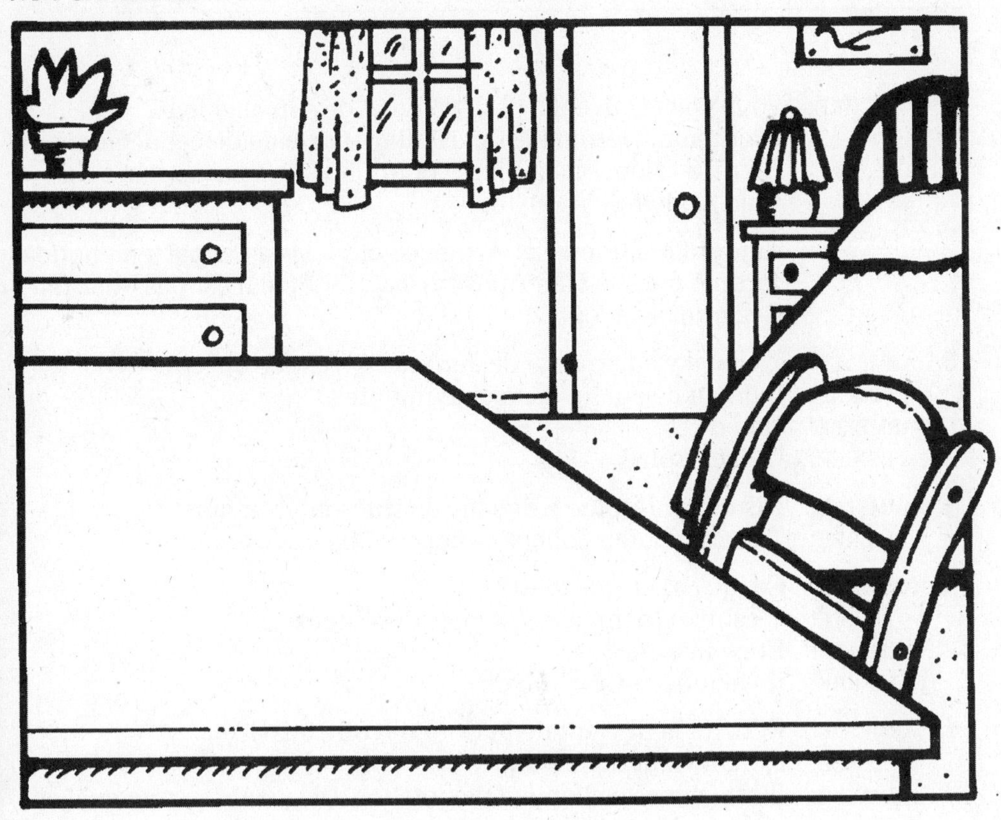

MON/MA CAMARADE A UNE COLLECTION DE (D') . . .

▶ pièces de monnaie

1. ___

2. ___

3. ___

4. ___

5. ___

**Note:* As an alternate, your teacher may have you cut out the objects in the trunk, put them in an envelope and draw out five items to place in your bedroom. In this way, several rounds of the game may be played.

LEÇON 30 Vidéo-scène: Les collections de Jérôme

Video 2, DVD 2

40:29–42:02

Counter 40:36–40:46 1. CLAIRE: Vous vous souvenez de Jérôme et de son accident? Maintenant Jérôme est parfaitement remis de cet accident. Hier il a téléphoné à Pierre pour l'inviter à passer chez lui avec Armelle.

Counter 40:47–41:01 2. Aujourd'hui, Pierre et Armelle sont allés à l'appartement de Jérôme dans le vieil Annecy, mais Jérôme n'est pas chez lui. Regardez et écoutez.

Counter 41:02–41:11 3. ARMELLE: Tiens, il y a une note de Jérôme. Qu'est-ce qu'il dit?
PIERRE: Il dit qu'il sera ici dans cinq minutes.
ARMELLE: On entre?
PIERRE: Oui, entrons!

Counter 41:12–41:20 4. ARMELLE: Dis donc, Jérôme a des tas de trucs intéressants!
PIERRE: Tu sais, il aime collectionner les objets.

Counter 41:21–41:28 5. ARMELLE: Ça, qu'est-ce que c'est?
PIERRE: C'est une tampoura. Ça vient des Indes.
ARMELLE: Et ce masque?
PIERRE: Il vient de la Côte d'Ivoire.

Counter 41:29–41:44 6. ARMELLE: Et celui-là, il vient de la Côte d'Ivoire aussi?
PIERRE: Non, il vient du Mexique.
ARMELLE: Il est super, le chapeau de cowboy. Dis, quand est-ce qu'il est allé aux États-Unis, Jérôme?
PIERRE: Aux États-Unis? Il n'y est jamais allé.
ARMELLE: Sans blague!

Counter 41:45–42:02 7. PIERRE: À vrai dire, il n'aime pas beaucoup voyager. Il déteste prendre les avions.
ARMELLE: Tu plaisantes? Mais alors, tous ces objets, où est-ce qu'il les a trouvés?
PIERRE: Au marché aux puces. Jérôme y achète des tas de trucs bizarres!

URB
p. 66

LEÇON 30 Les collections de Jérôme

PE AUDIO

CD 5, Track 5

Vidéo-scène, p. 442

CLAIRE: Vous vous souvenez de Jérôme et de son accident? Maintenant Jérôme est parfaitement remis de cet accident.
Hier il a téléphoné à Pierre pour l'inviter à passer chez lui avec Armelle. Aujourd'hui, Pierre et Armelle sont allés à l'appartement de Jérôme, mais Jérôme n'est pas chez lui.
ARMELLE: Tiens, il y a une note de Jérôme. Qu'est-ce qu'il dit?
CLAIRE: Pierre lit la note.
PIERRE: Il dit qu'il sera ici dans cinq minutes.
ARMELLE: On entre?
PIERRE: Oui, entrons!
CLAIRE: Pierre et Armelle entrent chez Jérôme. Armelle regarde les objets qui sont là.
ARMELLE: Dis donc, Jérôme a des tas de trucs intéressants!
PIERRE: Tu sais, il aime collectionner les objets.
ARMELLE: Ça, qu'est-ce que c'est?
PIERRE: C'est une tampoura. Ça vient des Indes.
ARMELLE: Et ce masque?
PIERRE: Il vient de la Côte d'Ivoire.
ARMELLE: Et celui-là, il vient de la Côte d'Ivoire aussi?
PIERRE: Non, il vient du Mexique.
CLAIRE: Armelle trouve un chapeau qu'elle essaie.
ARMELLE: Il est super, le chapeau de cowboy . . . Dis, quand est-ce qu'il est allé aux États-Unis, Jérôme?
PIERRE: Aux États-Unis? Il n'y est jamais allé.
ARMELLE: Sans blague!
CLAIRE: Pierre explique à Armelle où Jérôme achète tous ses objets.
PIERRE: À vrai dire, il n'a pas beaucoup voyagé. Il déteste prendre les avions.
ARMELLE: Tu plaisantes? Mais alors, tous ces objets, où est-ce qu'il les a trouvés?
PIERRE: Au Marché aux puces. Jérôme y achète des tas de trucs bizarres!

À votre tour!

CD 5, Track 6

1. Voyage international, p. 447

Corinne et Armelle ont reçu un billet d'avion international. Écoutez leur conversation.

CORINNE: Dis, donc, qu'est-ce qu'on va faire avec ce billet international?
ARMELLE: Eh bien, d'abord on peut visiter l'Irlande.

CORINNE: On dit que c'est un beau pays. Et après?
ARMELLE: On peut aller au Canada.
CORINNE: Bonne idée! J'ai des cousins qui habitent à Montréal. On va leur rendre visite.
ARMELLE: Et après, on peut aller aux États-Unis.
CORINNE: Ah oui, j'aimerais beaucoup visiter la Californie, et aussi le parc de Yosemite.
ARMELLE: Et après, on peut faire un tour au Mexique.
CORINNE: Ah oui, il y a beaucoup de choses à voir . . . Et puis on va parler espagnol là-bas!
ARMELLE: Et après?
CORINNE: Eh bien, on va rentrer en France!

WORKBOOK AUDIO

CD 13, Track 7

Section 1. Vidéo-scène

Activité A. Compréhension générale, p. 442

Allez à la page 442 de votre texte.

CLAIRE: Vous vous souvenez de Jérôme et de son accident? Maintenant Jérôme est parfaitement remis de cet accident.
Hier il a téléphoné à Pierre pour l'inviter à passer chez lui avec Armelle. Aujourd'hui, Pierre et Armelle sont allés à l'appartement de Jérôme, mais Jérôme n'est pas chez lui.

ARMELLE: Tiens, il y a une note de Jérôme. Qu'est-ce qu'il dit?

CLAIRE: Pierre lit la note.

PIERRE: Il dit qu'il sera ici dans cinq minutes.

ARMELLE: On entre?

PIERRE: Oui, entrons!

CLAIRE: Pierre et Armelle entrent chez Jérôme. Armelle regarde les objets qui sont là.

ARMELLE: Dis donc, Jérôme a des tas de trucs intéressants!

PIERRE: Tu sais, il aime collectionner les objets.

ARMELLE: Ça, qu'est-ce que c'est?

PIERRE: C'est une tampoura. Ça vient des Indes.

ARMELLE: Et ce masque?

PIERRE: Il vient de la Côte d'Ivoire.

ARMELLE: Et celui-là, il vient de la Côte d'Ivoire aussi?

PIERRE: Non, il vient du Mexique.

CLAIRE: Armelle trouve un chapeau qu'elle essaie.

ARMELLE: Il est super, le chapeau de cowboy . . . Dis, quand est-ce qu'il est allé aux États-Unis, Jérôme?

PIERRE: Aux États-Unis? Il n'y est jamais allé.

ARMELLE: Sans blague!

CLAIRE: Pierre explique à Armelle où Jérôme achète tous ses objets.

PIERRE: À vrai dire, il n'a pas beaucoup voyagé. Il déteste prendre les avions.

ARMELLE: Tu plaisantes? Mais alors, tous ces objets, où est-ce qu'il les a trouvés?

PIERRE: Au Marché aux puces. Jérôme y achète des tas de trucs bizarres!

CD 13, Track 8

Activité B. Avez-vous compris?

Maintenant ouvrez votre cahier d'activités. Écoutez bien et indiquez si les phrases suivantes sont vraies ou fausses. Vous allez entendre chaque phrase deux fois. Êtes-vous prêts?

1. Jérôme n'est pas chez lui quand Pierre et Armelle arrivent. #
2. Jérôme a laissé une note pour son frère. #
3. Pierre et Armelle attendent Jérôme devant la porte. #
4. Jérôme a une collection d'objets intéressants. #
5. Il a un masque qui vient du Sénégal. #
6. Il a un chapeau de cowboy. #
7. Jérôme a visité les États-Unis l'année dernière. #

8. Jérôme a acheté ces objets au Marché aux puces. #

Maintenant, corrigez vos réponses.

1. Jérôme n'est pas chez lui quand Pierre et Armelle arrivent. Vrai.
2. Jérôme a laissé une note pour son frère. Vrai.
3. Pierre et Armelle attendent Jérôme devant la porte. Faux. Ils entrent dans l'appartement de Jérôme.
4. Jérôme a une collection d'objets intéressants. Vrai.
5. Il a un masque qui vient du Sénégal. Faux. Le masque vient de la Côte d'Ivoire.
6. Il a un chapeau de cowboy. Vrai.
7. Jérôme a visité les États-Unis l'année dernière. Faux. Il n'est jamais allé aux États-Unis.
8. Jérôme a acheté ces objets au Marché aux puces. Vrai.

Section 2. Langue et communication

CD 13, Track 9

Activité C. Un long voyage

Cet été Brigitte a fait un long voyage. Regardez la carte dans votre cahier d'activités. Vous pouvez voir les pays que Brigitte a visités. Écoutez la description du voyage et complétez les phrases avec **en**, **au** ou **aux** pluriel. Vous allez entendre chaque phrase deux fois.

Modèle: D'abord, Brigitte est allée en Allemagne.
You would write **en**.

1. Ensuite, elle est allée en Italie. #
2. Puis, elle est allée en Espagne. #
3. Après, elle est allée au Portugal. #
4. Ensuite, elle est allée au Mexique. #
5. Après, elle est allée aux États-Unis. #
6. Puis, elle est allée au Canada. #
7. Ensuite, elle est allée en Angleterre. #
8. Et finalement, elle est rentrée en France. #

Maintenant, dites que Brigitte a des photos de chaque pays. Écoutez le numéro et puis dites votre phrase.

Modèle: Zéro
Elle a des photos d'Allemagne.

1. # Elle a des photos d'Italie.
2. # Elle a des photos d'Espagne.
3. # Elle a des photos du Portugal.
4. # Elle a des photos du Mexique.
5. # Elle a des photos des États-Unis.
6. # Elle a des photos du Canada.
7. # Elle a des photos d'Angleterre.
8. # Elle a des photos de France.

CD 13, Track 10

Activité D. Le courrier

Aujourd'hui, tout le monde a du courrier. Regardez les illustrations et dites ce que chacun reçoit.

Modèle: Nicole reçoit du courrier.
Elle reçoit une lettre.

1. Sophie reçoit du courrier. #
   Elle reçoit une carte.
2. Tu reçois du courrier. #
   Tu reçois une lettre.
3. Nous recevons du courrier. #
   Nous recevons un paquet.
4. Je reçois du courrier. #
   Je reçois un télégramme.
5. Mes parents reçoivent du courrier. #
   Ils reçoivent un cadeau.
6. Vous recevez du courrier. #
   Vous recevez une carte postale.

CD 13, Track 11

Activité E. Alain

Alain a douze ans. Il passe le mois de juillet dans une colonie de vacances près de la mer. Regardez les illustrations et expliquez ce qu'il fait.

Modèle: Alain ne sait pas nager.
Il apprend à nager.

1. Alain ne sait pas jouer au tennis. #
   Il apprend à jouer au tennis.
2. Alain veut gagner son match. #
   Il réussit à gagner son match.

3. Alain veut jouer au ping-pong. #
   Il commence à jouer au ping-pong.
4. Alain aime jouer au volley. #
   Il continue à jouer au volley.
5. Alain ne sait pas faire de la planche à voile. #
   Il hésite à faire de la planche à voile.

CD 13, Track 12

Activité F. Le régime de Monsieur Depois

Monsieur Depois a quarante ans. Récemment il a commencé un régime. Regardez les illustrations et expliquez ses décisions.

Modèle: Monsieur Depois veut maigrir.
Il essaie de maigrir.

1. Monsieur Depois veut perdre cinq kilos. #
   Il rêve de perdre cinq kilos.
2. Il doit faire des exercices. #
   Il décide de faire des exercices.
3. Il ne doit pas manger de la glace. #
   Il refuse de manger de la glace.
4. Il ne doit pas manger entre les repas. #
   Il arrête de manger entre les repas.
5. Il ne doit pas manger des pizzas. #
   Il cesse de manger des pizzas.
6. Il doit manger beaucoup de salade. #
   Il accepte de manger beaucoup de salade.
7. Il doit boire beaucoup d'eau. #
   Il n'oublie pas de boire beaucoup d'eau.

LESSON 30 QUIZ

Part I: Listening

CD 22, Track 2

A. Conversations

You will hear a series of short conversations. These conversations are incomplete. Select the most logical CONTINUATION of each conversation and circle the corresponding letter: a, b, or c. You will hear each conversation twice.

Écoutez.

Conversation 1. Catherine et Pierre parlent de leur ami Jean-Louis.

CATHERINE: Tu sais où est Jean-Louis?
PIERRE: Oui, il fait un voyage au Japon.
CATHERINE: Tu reçois des lettres de lui?

Conversation 2. Virginie et Thomas parlent des vacances de l'été dernier.

THOMAS: Où es-tu allée l'année dernière?
VIRGINIE: J'ai visité l'Amérique du Nord.
THOMAS: Où es-tu allée d'abord?
VIRGINIE: Aux États-Unis.
THOMAS: Et après?

Conversation 3. Nicolas et Véronique parlent de leur ami François.

NICOLAS: Tu as vu François récemment?
VÉRONIQUE: Oui, je l'ai aperçu hier.
NICOLAS: Où?

Conversation 4. Guillaume rencontre Nathalie dans la rue.

GUILLAUME: Où vas-tu comme ça?
NATHALIE: Je vais au club de voile.
GUILLAUME: Tu apprends à faire de la voile?

Conversation 5. Marc et Valérie sont dans la salle de musique du lycée.

MARC: Tu joues du piano?
VALÉRIE: Oui, je joue assez bien.
MARC: Quand est-ce que tu as commencé à prendre des leçons?

Conversation 6. Juliette téléphone à Nicolas.

JULIETTE: Qu'est-ce que tu as fait ce matin?
NICOLAS: J'ai essayé de réparer ma moto.
JULIETTE: Et tu as réussi à la réparer?
NICOLAS: Non . . .
JULIETTE: Alors, qu'est-ce que tu as fait?

Nom ______________________________

Classe ______________________ Date ______________

Discovering FRENCH Nouveau!

BLANC

QUIZ 30

Part I: Listening

A. Conversations (30 points: 5 points each)

You will hear a series of short conversations. These conversations are incomplete. Select the most logical CONTINUATION of each conversation and circle the corresponding letter: a, b, or c.

Conversation 1. Catherine et Pierre parlent de leur ami Jean-Louis.
Pierre répond:
a. Non, il voyage en train.
b. Non, il n'est pas à Tokyo.
c. Non, il n'écrit jamais.

Conversation 2. Virginie et Thomas parlent des vacances de l'été dernier.
Virginie répond:
a. Je suis allée au Canada.
b. Je suis rentrée de Chine.
c. Je suis restée chez moi.

Conversation 3. Nicolas et Véronique parlent de leur ami François.
Véronique répond:
a. En Allemagne.
b. Il était au café avec des copains.
c. Il a vu sa copine.

Conversation 4. Guillaume rencontre Nathalie dans la rue.
Nathalie répond:
a. Oui, j'ai arrêté.
b. Oui, j'hésite.
c. Oui, j'ai commencé à prendre des leçons.

Conversation 5. Marc et Valérie sont dans la salle de musique du lycée.
Valérie répond:
a. Hier après-midi.
b. À l'âge de neuf ans.
c. Je n'ai pas réussi à l'examen.

Conversation 6. Juliette téléphone à Nicolas.
Nicholas répond:
a. J'ai refusé de travailler.
b. J'ai acheté un vélo.
c. Je l'ai apportée chez le mécanicien.

Part II: Writing

B. Un voyage autour du monde *(A trip around the world)* (20 points: 2 points each)

Claire is a freelance journalist based in Paris. Recently she went on a trip around the world. Complete the description of her trip by writing in the missing PREPOSITIONS or ARTICLES.

Claire est partie __de__ France le premier juillet. D'abord, elle a visité __le__ Canada. Elle a passé une semaine _____ Canada et après, elle est allée _____ États-Unis. Elle est partie _____ États-Unis le 15 juillet et elle est allée _____ Japon. Ensuite, elle a visité _____ Chine. Elle est partie _____ Chine le 2 août et elle est allée _____ Inde et puis _____ Liban. Ensuite elle a visité _____ Égypte. Finalement, elle est rentrée _____ France le 20 août.

URB p. 73

Nom ______________________________

Classe ____________________ Date ____________

C. En vacances (30 points: 3 points each)

Say what the following people are doing during summer vacation. Complete each sentence with the French verb that corresponds to the expression in parentheses. Be sure to use **à** or **de,** as appropriate.

1. *(decides to)* Éric ____________ faire un voyage à l'étranger.
2. *(dreams of)* Nicole ____________ passer l'été à Tahiti.
3. *(forgets to)* Robert ____________ écrire à ses parents.
4. *(learns how to)* Philippe ____________ faire de la voile.
5. *(begins to)* Monique ____________ prendre des leçons de golf.
6. *(continues to)* Catherine ____________ faire du ski nautique.
7. *(succeeds in)* Alice ____________ faire de la planche à voile.
8. *(refuses to)* Julien ____________ faire du camping avec ses cousins.
9. *(hesitates to)* Marc ____________ faire de l'escalade.
10. *(finishes)* Olivier ____________ travailler le 18 août.

D. Expression personnelle (20 points: 5 points each)

Let's talk about different topics. Answer the following questions in French. Use complete sentences.

- Do you often receive letters? If so, from whom?
- What presents did you receive for your last birthday?
- What things are you trying to do?
- What things have you stopped doing?

- ____________________________
- ____________________________
- ____________________________
- ____________________________

LEÇON 31 Projet de voyage

LISTENING/SPEAKING ACTIVITIES

Section 1. Vidéo-scène

A. Compréhension générale

 Allez à la page 450 de votre texte. Écoutez

B. Avez-vous compris?

	vrai	faux		vrai	faux
1.	☑	☐	5.	☐	☑
2.	☑	☐	6.	☑	☐
3.	☐	☑	7.	☐	☑
4.	☑	☐	8.	☐	☑

Section 2. Langue et communication

C. Visite à Genève

▶ MME DUVAL: Vous allez visiter la ville?
LES TROIS JEUNES: **Oui, nous visiterons la ville.**

▶ MME DUVAL: Vous allez visiter le musée d'art?
LES TROIS JEUNES: **Non, nous ne visiterons pas le musée d'art.**

1. Oui, nous prendrons le train.
2. Oui, nous choisirons des cartes postales.
3. Oui, nous nous promènerons en ville.
4. Oui, nous dînerons près du lac.
5. Oui, nous rentrerons avant minuit.
6. Non, nous ne visiterons pas le musée d'histoire.
7. Non, nous n'achèterons pas de souvenirs.
8. Non, nous ne prendrons pas beaucoup de photos.

PARIS
GENÈVE
30%
DE REDUCTION
On voyagera moins cher!
AIR FRANCE
swissair

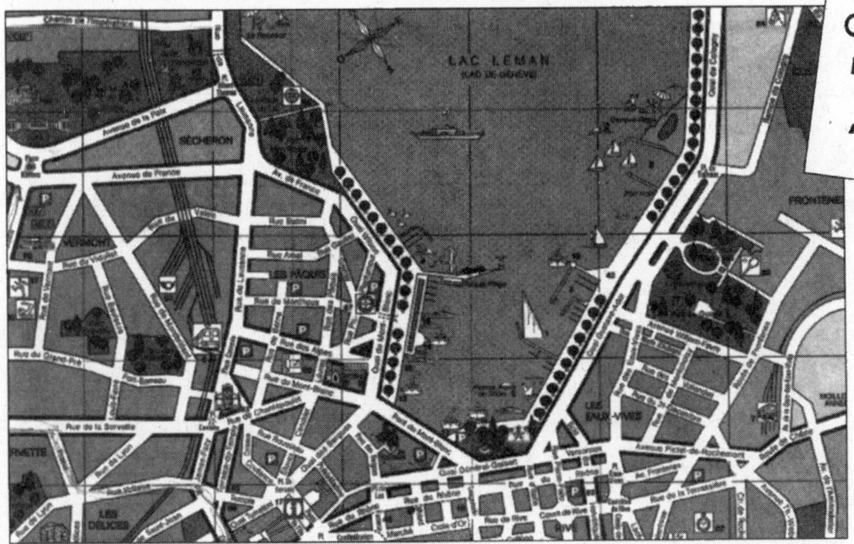

URB p. 75

Nom ______________________________

Classe ______________________ Date ______________

D. Pas encore

▶ demain matin

BRIGITTE: Tu as cherché ton passeport?
BERNARD: **Pas encore. Je chercherai mon passeport demain matin.**

1. demain après-midi
2. ce soir
3. vendredi prochain
4. dans une semaine
5. après le dîner
6. samedi prochain

1. Pas encore. J'achèterai mon billet demain après-midi.
2. Pas encore. Je téléphonerai à mon oncle ce soir.
3. Pas encore. Je recevrai mon visa vendredi prochain.
4. Pas encore. Je choisirai mes vêtements dans une semain
5. Pas encore. J'écrirai à mes amis après le dîner.
6. Pas encore. Je dirai au revoir à mes copains samedi proch

E. Quand il sera en Europe . . .

a. aller à Bruxelles
b. avoir envie de visiter Venise
c. boire du thé
d. devoir visiter Lisbonne
e. envoyer des cartes à ses amis
f. faire du ski
g. jouer au golf
h. pouvoir parler allemand
i. voir la Tour Eiffel

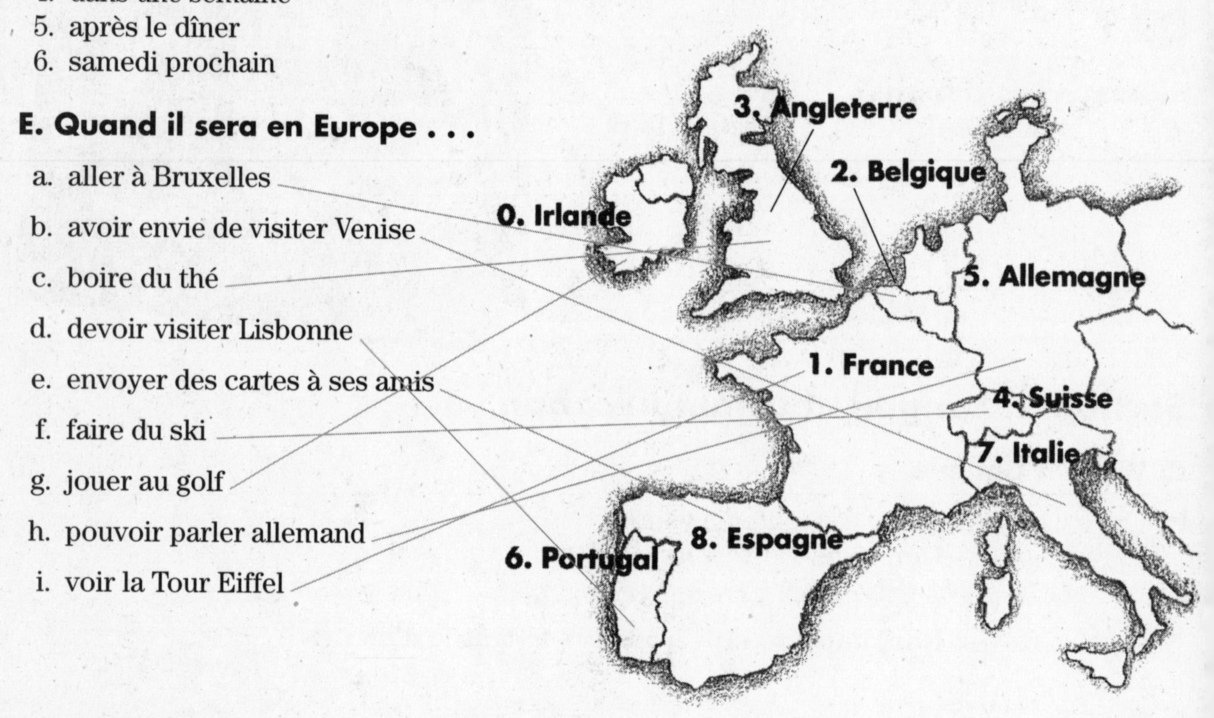

F. Si je fais du camping . . .

▶ ARMELLE: Si tu fais du camping, où est-ce que tu iras?
PIERRE: **J'irai à la mer.**

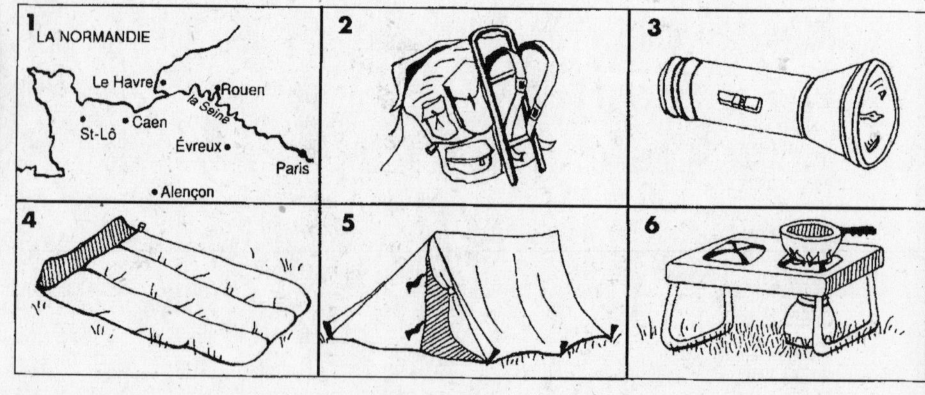

1. Je regarderai une carte de la région.
2. J'utiliserai mon sac à dos.
3. Je prendrai ma lampe de poche.
4. J'achèterai un sac de couchage.
5. Je dormirai dans une tente.
6. Je ferai la cuisine sur un réchaud.

URB
p. 76

WRITING ACTIVITIES

A 1. Tourisme

Dites quels pays les personnes suivantes vont visiter cet été. Utilisez le futur de visiter.

1. Nous visiterons le Canada.
2. Tu visiteras la Suisse.
3. On visitera l'Allemagne.
4. Patrick visitera l'Irlande.
5. Mes copains visiteront la Russie.
6. Je visiterai le Sénégal.
7. M. et Mme Duval visiteront le Japon.
8. Vous visiterez les États-Unis.

A 2. Il pleut! (sample answers)

Il pleut très fort! Dites si oui ou non les personnes suivantes vont faire les choses entre parenthèses cet après-midi. Utilisez le futur dans des phrases à l'affirmatif ou au négatif.

▶ Nous ne jouerons pas au foot. (jouer)

1. Tu resteras à la maison. (rester)
2. Marc et Anne ne sortiront pas. (sortir)
3. Je lirai un bon livre. (lire)
4. Nous regarderons un match à la télé. (regarder)
5. Marc rendra visite à son oncle. (rendre)
6. On jouera au Nintendo. (jouer)
7. Vous déjeunerez au restaurant. (déjeuner)
8. Mes copains dîneront à la maison. (dîner)

A 3. Un week-end à Paris (sample answer)

Vous avez gagne le grand prix du Club Français: un voyage à Paris. Écrivez une lettre à votre amie Catherine où vous expliquez ce que vous allez faire. Utilisez les informations du programme et le futur des verbes suivants:

PROGRAMME

Transport: ......avion
....................vol Air France 208
Arrivée:.........5 juillet
Hôtel: ....Saint-Germain
Restaurant: ....le Petit Zinc
Visite: ....la Tour Eiffel
....................Notre-Dame
....................le Musée d'Orsay
Retour:..........8 juillet

Ma chère Catherine,
Je vais passer un week-end à Paris.
Je prendrai l'avion. Le vol Air France 208 arrivera à Paris le 5 juillet. Je resterai à l'hôtel Saint-Germain et je dînerai au restaurant le Petit Zinc. Je visiterai la Tour Eiffel, Notre-Dame et le Musée d'Orsay. Je partirai de Paris le 8 juillet . . .

prendre
arriver à Paris
rester
dîner
visiter
partir de Paris

URB p. 77

Nom ______________________

Classe ______________________ Date ______________________

B 4. Et vous?

Dites si oui ou non vous allez faire les choses suivantes le week-end prochain. Utilisez le futur.

1. aller en ville?
   J'irai en ville. (Je n'irai pas en ville.)
2. faire une promenade à vélo?
   Je ferai une promenade à vélo. (Je ne ferai pas de promenade à vélo.)
3. voir un film?
   Je verrai un film. (Je ne verrai pas de film.)
4. aller à la piscine?
   J'irai à la piscine. (Je n'irai pas à à la piscine.)
5. avoir un rendez-vous?
   J'aurai un rendez-vous. (Je n'aurai pas de rendez-vous.)
6. faire des achats?
   Je ferai des achats. (Je ne ferai pas d'achats.)
7. voir vos copains?
   J'irai voir mes copains. (Je n'irai pas voir mes copains.)
8. être chez vous samedi soir?
   Je serai chez moi samedi soir. (Je ne serai pas chez moi samedi soir.)

C 5. Ça dépend! (sample answers)

Ce que nous faisons dépend souvent des circonstances. Dites ce que les personnes suivantes feront dimanche après-midi dans le cas affirmatif et aussi dans le cas négatif. Utilisez votre imagination.

▶ S'il est fatigué, Philippe se reposera.
S'il n'est pas fatigué, il ira au café avec ses copains.

1. Si elle est en forme, Béatrice jouera au tennis avec Michel. Si elle n'est pas en forme, elle lira un livre à la maison.
2. Si nous avons de l'argent, nous ferons des achats. Si nous n'avons pas d'argent, nous ferons une promenade à vélo.
3. Si les élèves ont un examen lundi, ils organiseront une boum samedi soir.
4. S'il fait très beau, je (j') partirai à la campagne pour le week-end. S'il ne fait pas très beau, je resterai en ville.
5. S'il pleut, tu iras au cinéma. S'il ne pleut pas, tu m'inviteras à faire une randonnée à pied à la montagne.

URB
p. 78

D 6. Projets

Expliquez les projets des personnes suivantes.

▶ Marc (avoir de l'argent / acheter une mobylette)
Quand Marc aura de l'argent, il achètera une mobylette.

1. Jean-Pierre (travailler / gagner de l'argent)
   Quand Jean-Pierre travaillera, il gagnera de l'argent.
2. Juliette et Stéphanie (être à Madrid / parler espagnol)
   Quand Juliette et Stéphanie seront à Madrid, elles parleront espagnol.
3. Nous (aller à Paris / visiter le Musée d'Orsay)
   Quand nous irons à Paris, nous visiterons le Musée d'Orsay.
4. Je (être en vacances / faire du camping)
   Quand je serai en vacances, je ferai du camping.

D 7. Expression personnelle (sample answers)

Complétez les phrases suivantes. Utilisez le futur . . . et votre imagination!

1. Quand je serai en vacances cet été, je jouerai au tennis.
2. Quand j'aurai une voiture, j'irai souvent à la plage.
3. Quand je travaillerai, j'aurai de l'argent pour voyager.
4. Quand j'aurai vingt ans, je serai à l'université.

E 8. Le bon verbe!

Complétez les phrases avec le futur des verbes entre parenthèses. Soyez logique!

apercevoir	devoir	envoyer	pouvoir
recevoir	revenir	venir	vouloir

1. Si nous étudions, nous recevrons un «A» à l'examen.
2. Je partirai le 2 juillet et je reviendrai le 20 juillet.
3. Nous enverrons les lettres quand nous irons à la poste.
4. Si vous voulez voyager à l'étranger, vous devrez prendre votre passeport.
5. M. Thibaut est un gourmet. Il voudra dîner dans un bon restaurant.
6. Vincent m'a téléphoné. Il viendra chez moi demain après-midi.
7. S'il fait beau, nous pourrons faire un pique-nique à la campagne.
8. Les touristes monteront à la Tour Eiffel. De là, ils apercevront Notre-Dame.

URB p. 79

Nom ______________________________

Classe ____________________ Date ____________

Discovering FRENCH Nouveau!

BLANC

9. Communication (sample answers)

A. Une lettre Vous allez passer une semaine à Montréal. Vous allez voyager en avion. Votre correspondant *(pen pal)* Jean-Pierre a proposé de vous chercher à l'aéroport. Écrivez-lui une lettre où vous l'informez de votre arrivée.

- prendre (quelle compagnie aérienne?)
- arriver à Montréal (quel jour? à quelle heure?)
- porter (quels vêtements?)
- avoir (combien de valises?)
- rester (combien de temps à Montréal?)

Cher Jean-Pierre,

Je prendrai un avion d'Air Canada. J'arriverai à Montréal lundi, le 10 septembre, à midi et quart. Je porterai un pantalon de toile beige et une veste marron. J'aurai une valise. Je resterai une semaine à Montréal. Je te verrai bientôt . . .

B. Bienvenue! *(Welcome!)* Votre amie française Véronique va passer une ou deux semaines dans votre ville. Vous avez beaucoup de projets pour elle. Écrivez-lui une lettre où vous lui parlez de ces projets. Utilisez les suggestions suivantes ou utilisez votre imagination. (Si c'est nécessaire, utilisez une feuille de papier séparée.)

- **aller (où?)**
- **visiter (quoi?)**
- **voir (qui? quoi?)**
- **déjeuner (où?)**
- **dîner (où? avec qui?)**
- **sortir (avec qui?)**
- **rendre visite (à qui?)**
- **faire (quoi?)**
- **pouvoir (faire quelles choses?)**

Ma chère Véronique,

Nous ferons beaucoup de choses intéressantes pendant ton séjour ici.

Nous irons à la plage. Nous visiterons le musée au centre-ville, et après nous verrons un film. Nous rendrons visite à mon cousin qui habite près du cinéma. Nous déjeunerons dans un fast-food mais nous dînerons dans un bon restaurant. Nous sortirons avec mes copains un jour. Nous pourrons faire un promenade à vélo ou faire des achats . . .

Nom ______________________________

Classe ____________________ Date ______________

Discovering FRENCH *Nouveau!*

B L A N C

Unité 8 Leçon 31

Activités pour tous TE

LEÇON 31 Projet de voyage

A

Activité 1 Demain (sample answers)

Écrivez des phrases simples (sujet + verbe) au futur, en vous servant des illustrations.

1. Nous  . Nous étudierons.

2. Brigitte et Sophie  . Elles parleront.

3. Bertrand  . Il écrira.

4. Vous . Vous lirez.

5. Je . Je téléphonerai.

Activité 2 Correspondances

Faites correspondre le présent et le futur de ces verbes.

d	1. je suis	i	6. je viens
j	2. je fais	g	7. je sais
a	3. je vois	e	8. je dois
h	4. je vais	f	9. je peux
c	5. j'ai	b	10. je veux

a. je verrai	f. je pourrai
b. je voudrai	g. je saurai
c. j'aurai	h. j'irai
d. je serai	i. je viendrai
e. je devrai	j. je ferai

Activité 3 Si . . .

Mettez un cercle autour du verbe qui convient.

1. Si *tu travailles* / *tu travailleras* bien, *tu réussis* / *tu réussiras!*
2. *Je vais* / *J'irai* en vacances avec vous si *j'ai* / *j'aurai* assez d'argent.
3. *On sort* / *On sortira* quand la baby-sitter de ma petite soeur *arrive* / *arrivera.*
4. Si tu *ne manges pas* / *ne mangeras pas* tes légumes, tu *ne grandis pas* / *ne grandiras pas!*
5. Je *te dis* / *te dirai* la nouvelle quand on *se voit* / *se verra.*

URB p. 81

Nom ______________________________

Classe ______________________ Date ______________

B

Activité 1 Ce week-end

Complétez les phrases au futur, en vous servant des illustrations.

1. Je te téléphonerai plus tard.

2. Samedi matin, nous travaillerons.

3. Ensuite, nous mettrons la table.

4. Le soir, nous irons au cinéma.

5. Caroline et Léa voyagerons.

Activité 2 Synonymes

D'abord, soulignez l'infinitif. Ensuite, choisissez la phrase qui correspond le mieux.

1. Je vais venir chez toi. (a.) Je viendrai chez toi. b. Je te verrai chez toi.
2. Je vais faire la cuisine. (a.) Je ferai la cuisine. b. Je verrai la cuisine.
3. Je vais aller voir des amis. (a.) J'irai voir des amis. b. J'aurai des amis.
4. Je vais avoir la réponse. a. Je saurai la réponse. (b.) J'aurai la réponse.
5. Je vais aller à Paris cet été. a. Je serai à Paris cet été. (b.) J'irai à Paris cet été.

Activité 3 En vacances

Anne-Marie a des projets pour l'été. Mettez un cercle autour des verbes qui conviennent.

Quand *je vais / j'irai* en France cet été, *je visite / je visiterai* le nord-ouest du pays. Quand *je suis / je serai* à Paris, *je vois / je verrai* le Louvre, l'Arc de Triomphe et la Tour Eiffel. Si *j'ai / j'aurai* le temps, *je vois / je verrai* aussi le musée d'Orsay. Ensuite, *je continue / je continuerai* mon voyage en Bretagne. Quand *j'arrive / j'arriverai* à Quimper, *j'achète / j'achèterai* de la poterie. Puis, *je rends / je rendrai* visite à mes cousins à Saint-Malo. Après, *s'il fait / s'il fera* beau, *je vais / j'irai* au Mont Saint-Michel. Quand *je reviens / je reviendrai* à Paris, *je prends / je prendrai* l'avion.

URB
p. 82

Nom ______________________

Classe ______________ Date ______________

Discovering FRENCH Nouveau!

BLANC

C

Activité 1 Un voyage

Mettez les phrases au futur.

1. Je suis partie lundi matin. Je partirai lundi matin.
2. Nous sommes arrivés lundi soir. Nous arriverons lundi soir.
3. Nous avons vu le Mont-Saint-Michel. Nous verrons le Mont-Saint-Michel.
4. Nous avons envoyé des cartes postales. Nous enverrons des cartes postales.
5. Nous avons pris le train pour Nantes. Nous prendrons le train pour Nantes.

Activité 2 Plus tard

Répondez aux questions de votre mère en disant que vous ferez ces activités plus tard. Utilisez un pronom si possible.

1. —Tu es chez Jeanne? —Je serai chez elle plus tard.
2. —Vous allez au cinéma? —Nous irons au cinéma plus tard.
3. —Vous avez fait vos devoirs? —Nous les ferons plus tard.
4. —Tu as acheté un cadeau pour ta soeur? —Je l'achèterai plus tard.
5. —Tu as envoyé une carte à Papi et Mamie? —Je l'enverrai plus tard.

Activité 3 Si . . . (sample answers)

Complétez les phrases suivantes de façon logique.

1. Si je trouve [20 euros] dans la rue, je le garderai.
2. Si je ne fais pas mes [devoirs], je ne réussirai pas à l'examen.
3. Quand j'aurai [32 ans], je travaillerai dans une banque.
4. Quand j'aurai [64 ans], j'aurai des petits-enfants.

URB p. 83

BLANC

LEÇON 31 Projet de voyage, page 450

Objectives

Communicative Functions and Topics To talk about the future
To talk about what will happen if certain conditions are met
To use logical thinking when reading

Linguistic Goals To use the future tense with regular and irregular verbs
To use the future tense with ***si***-clauses and with ***quand***-clauses

Cultural Goals To learn about vacation plans of French young people

Motivation and Focus

Discuss weekend activities. Use **Overhead Transparency** 9 for ideas of places to go and things to do. Look at the photos on pages 450–451 and ask students to suggest activities the characters might like to do on the weekend.

Presentation and Explanation

- ❑ *Vidéo-scène:* Review the previous episode by doing **Video Activities** 1 and 2, page 96. Read the introductory paragraph on page 450; play **Video** 2 or **DVD** 2, Counter 42:08–43:53 or **Audio** CD 5, Track 7, or read pages 450–451, to present the *Vidéo-scène*. Before students read the ***téléroman,*** do the TEACHING NOTE, page 450 of the TE, to call attention to examples of the future tense. Ask students to read and summarize pages 450–451.
- ❑ *Grammar A* and *B:* Introduce the future tense of regular verbs. Explain endings and stems in the grammar boxes, pages 452–453. Model and have students repeat. Use **Overhead Transparency** 64 and the WARM-UP suggestions, page 455 of the TE, to present the future of irregular verbs, page 455.
- ❑ *Grammar C:* Introduce the future tense with ***si***-clauses, page 457. Explain the verbs and tenses used in each of the clauses in the grammar box.
- ❑ *Grammar D:* Explain the use of the future tense with ***quand***-clauses, using the grammar box on page 458. Use **Overhead Transparency** 65 and the TEACHING TIP on page 458 of the TE to practice talking about the future.
- ❑ *Grammar E:* Present the future of other irregular verbs using the grammar box on page 459. Remind students that the same future endings are used with the irregular future stems.

Guided Practice and Checking Understanding

- ❑ Use *Compréhension*, page 451, to check understanding of the *Vidéo-scène*.
- ❑ Use these **Overhead Transparencies** to practice talking about the future: **Transparency** 14 with the suggestion on page 455 of the TE; **Transparency** 64 and the EXTRA PRACTICE suggestion on page 453 of the TE; **Transparency** 65 with the TEACHING TIP on page 458 of the TE as well as the Review and Practice activity on page A157.
- ❑ Check listening skills with **Audio** CD 13, Tracks 13–18 or the **Audioscript** and **Workbook** Listening/Speaking Activities A–F, pages 279–280.
- ❑ Have students do **Video Activities** 3–8, pages 96–100, as they view the **Video** or listen while you read the **Videoscript.**

Independent Practice

- ❑ Model the activities on pages 453–459. Do 2, 5, 7, 10, and 11 as homework; 1, 4 and 12 in pairs; 6 and 8 in small groups; and 3 and 9 as PAIR PRACTICE.
- ❑ Assign the COMPOSITION: DANS 10 ANS on page 459 of the TE.
- ❑ Do **Communipak** *Interviews* 7–8, *Tu as la parole* 5–6, *Conversations* 4–7, *Échange* 2, or *Tête à tête* 2–3 (pages 151–165) or **Video Activities** 9, page 101, as pair practice.
- ❑ Have students do any appropriate activities in **Activités pour tous,** pages 169–171.

Monitoring and Adjusting

- ❑ Have students do the Writing Activities on **Workbook** pages 281–284.
- ❑ Monitor students' work on the practice activities; review the grammar and vocabulary boxes as needed. Use the TEACHING NOTES, EXTRA PRACTICE, VARIATIONS, LANGUAGE NOTES, and PERSONALIZATION on pages 452–459 of the TE as necessary.

Assessment

- ❑ Administer Quiz 31 on pages 109–110 after completing the lesson. Use the **Test Generator** to adapt the quiz questions to your class's needs.

Reteaching

- ❑ Redo any appropriate activities from the **Workbook**.
- ❑ Use the **Video** to reteach portions of the lesson.

Extension and Enrichment

- ❑ Discuss the CULTURAL NOTES on pages 451 and 456–457 of the TE. If students are interested, have them find out more information about Geneva or ***les châteaux***.

Summary and Closure

- ❑ Ask pairs of students to prepare and present conversations about future plans based on **Overhead Transparency** S18 and the Goal 1 activity on page A31. Guide other students to summarize the communicative and cultural goals of the lesson.
- ❑ Do PORTFOLIO ASSESSMENT on page 459 of the TE.

End-of-Lesson Activities

- ❑ *À votre tour!:* Have students work in pairs to do Activity 1 on page 459. Students can listen to **Audio** CD 5, Track 8 for a sample conversation.
- ❑ *Lecture:* Do the PRE-READING ACTIVITY, page 460 of the TE. Have students read the text on page 460 and match the letters to the illustrations on page 461. Do the OBSERVATION ACTIVITY and the POST-READING ACTIVITY, page 461 of the TE. Assign the *C'est la vie* activities on **Workbook** pages 296–297.

LEÇON 31 Projet de voyage, page 450

Block Scheduling (2 Days to Complete)

Objectives

Communicative Functions and Topics	To talk about the future To talk about what will happen if certain conditions are met To use logical thinking when reading
Linguistic Goals	To use the future tense with regular and irregular verbs To use the future tense with ***si***-clauses and with ***quand***-clauses
Cultural Goals	To learn about vacation plans of French young people

Block Schedule

Change of Pace For further practice of the future tense, form groups of 2–3 students. Have students imagine they are camp counselors writing a daily schedule of activities to announce to the campers. They will conjugate the verbs in the future tense with ***nous*** as the subject. Groups should include at least 10 different activities in their schedules. ■

Day 1

Motivation and Focus

- ❑ Discuss weekend activities. Use **Overhead Transparency** 9 for ideas of places to go and things to do. Look at the photos on pages 450–451 and ask students to suggest activities the characters might like to do on the weekend.

Presentation and Explanation

- ❑ *Vidéo-scène:* Review the previous episode by doing **Video Activities** Activity 1, page 96. Read the introductory paragraph on page 450; play **Video** 2 or **DVD** 2, Counter 42:08–43:53 or **Audio** CD 5, Track 7, or read pages 450–451, to present the *Vidéo-scène*. Before students read the ***téléroman***, do the TEACHING NOTE, page 450 of the TE, to call attention to examples of the future tense. Ask students to read and summarize pages 450–451.
- ❑ *Grammar A* and *B:* Introduce the future tense of regular verbs. Explain endings and stems in the grammar boxes, pages 452–453. Model and have students repeat. Use **Overhead Transparency** 64 and the WARM-UP suggestions, page 455 of the TE, to present the future of irregular verbs, page 455.
- ❑ *Grammar C:* Introduce the future tense with ***si***- clauses, page 457. Explain the verbs and tenses used in each of the clauses in the grammar box.
- ❑ *Grammar D:* Explain the use of the future tense with ***quand***- clauses, using the grammar box on page 458. Use **Overhead Transparency** 65 and the teaching suggestions on page 458 of the TE to practice talking about the future.
- ❑ *Grammar E:* Present the future of other irregular verbs using the grammar box on page 459. Remind students that the same future endings are used with the irregular future stems.

Guided Practice and Checking Understanding

- ❑ Use *Compréhension*, page 451, to check understanding of the *Vidéo-scène*.
- ❑ Use these **Overhead Transparencies** to practice talking about the future: **Transparency** 14 with the suggestion on page 455 of the TE; **Transparency** 64 and the EXTRA PRACTICE

suggestion on page 453 of the TE; **Transparency** 65 with the TEACHING TIP on page 458 of the TE as well as the Review and Practice activity on page A157.

- ❑ Check listening skills with **Audio** CD 13, Tracks 13–18 or the **Audioscript** and **Workbook** Listening/Speaking Activities A–F, pages 279–280.

Independent Practice

- ❑ Model the activities on pages 453–459. Have students work in pairs to do Activities 1–2, 4–5, 7, and 10–12; then do 6 and 8 in small groups and 3 and 9 as PAIR PRACTICE.
- ❑ Assign the COMPOSITION: DANS 10 ans on page 459 of the TE as homework.
- ❑ Do **Communipak** *Interviews* 7–8, *Tu as la parole* 5–6, *Conversations* 4–7, *Échange* 2, or *Tête à tête* 2–3 (pages 151–165).
- ❑ Have students do any appropriate activities in **Activités pour tous**, pages 169–171.

Day 2

Motivation and Focus

- ❑ Have students do Activity 9, page 101, in **Video Activities**.
- ❑ Ask students to peer-edit the homework assignment, COMPOSITION: DANS 10 ANS, before turning it in.

Monitoring and Adjusting

- ❑ Have students do the Writing Activities on **Workbook** pages 281–284. Review the grammar and vocabulary boxes as needed.

End-of-Lesson Activities

- ❑ *À votre tour!:* Have students work in pairs to do Activity 1 on page 459. Students can listen to **Audio** CD 5, Track 8 for a sample conversation.
- ❑ *Lecture:* Do the PRE-READING ACTIVITY, page 460 of the TE. Have students read the text on page 460 and match the letters to the illustrations on page 461. Do the OBSERVATION ACTIVITY and the POST-READING ACTIVITY, page 461 of the TE.

Reteaching (as needed)

- ❑ Redo any appropriate activities from the **Workbook**.
- ❑ Use the **Video** to reteach portions of the lesson.

Extension and Enrichment (as desired)

- ❑ Use **Block Scheduling Copymasters**, pages 249–256.
- ❑ Discuss the CULTURAL NOTES on pages 451 and 456–457 of the TE. If students are interested, have them find out more information about Geneva or ***les châteaux***.

Summary and Closure

- ❑ Have students do the **Block Schedule Activity** at the top of the previous page.
- ❑ Do PORTFOLIO ASSESSMENT on page 459 of the TE.

Assessment

- ❑ Administer Quiz 31 on pages 109–110 after completing the lesson. Use the **Test Generator** to adapt the quiz questions to your class's needs.

Nom ______________________________

Classe ____________________ Date ____________________

Discovering FRENCH Nouveau!

BLANC

LEÇON 31 Vidéo-scène: Projet de voyage, pages 450–451

Materials Checklist

- ❑ **Student Text**
- ❑ **Audio** CD 5, Track 7; **Audio** CD 13, Tracks 13–14
- ❑ **Video** 2 or **DVD** 2, Counter 42:08–43:53
- ❑ **Workbook**

Steps to Follow

- ❑ Before you watch the **Video** or **DVD**, or listen to the **CD**, read *Compréhension* (p. 451). This will help you understand what you see and hear.
- ❑ Look at the photos on pages 450–451 while you read the text. Write down any unfamiliar words or expressions. Check meanings. Listen to **Audio** CD 5, Track 7.
- ❑ Watch **Video** 2 or **DVD** 2, Counter 42:08–43:53. Pause and replay if necessary.
- ❑ Do Listening/Speaking Activities, Section 1, Activities A–B in the **Workbook** (p. 279). Use **Audio** CD 13, Tracks 13–14.
- ❑ Answer the questions in *Compréhension* (p. 451).

If You Don't Understand . . .

- ❑ Watch the **Video** or **DVD** in a quiet place. Try to stay focused. If you get lost, stop the **Video** or **DVD**. Replay it and find your place.
- ❑ Listen to the **CDs** in a quiet place. If you get lost, stop the **CDs**. Replay them and find your place. Repeat what you hear. Try to sound like the people on the recording.
- ❑ On a separate sheet of paper, write down new words and expressions. Check meanings.
- ❑ Say aloud anything you write. Make sure you understand everything you say.
- ❑ Write down any questions so that you can ask your partner or your teacher later.

Self Check

Répondez aux questions suivantes.

1. Est-ce que Pierre et Armelle acceptent l'invitation de Jérôme?
2. Quand est-ce que les trois amis vont à Genève?
3. Dans quel pays se trouve Genève?
4. Qu'est-ce que Pierre, Armelle, et Jérôme vont faire à Genève?
5. À quelle heure est le train?

Answers

1. Pierre et Armelle acceptent l'invitation de Jérôme. 2. Ils vont à Genève samedi prochain.
3. Genève se trouve en Suisse. 4. Pierre, Armelle, et Jérôme vont faire un tour du lac en bateau.
5. Le train est à huit heures et quart.

Nom ____________________

Classe ____________________ Date ____________________

Discovering FRENCH *Nouveau!*

BLANC

A. Le futur: formation régulière, pages 452–454

Materials Checklist

- ❑ **Student Text**
- ❑ **Workbook**

Steps to Follow

- ❑ Study *Le futur: formation régulière* (pp. 452–453). Copy the conjugations for **–er, –ir**, and **–re** verbs. Say them aloud.
- ❑ Do Activities 1 and 2 in the text (pp. 453–454). Circle the verb in each answer. Verify endings. Say your answers aloud.
- ❑ Do Activity 3 in the text (p. 454). Write the dialogues in complete sentences. Underline the verbs. Say the dialogues aloud.
- ❑ Do Activity 4 in the text (p. 454). Write your answers in complete sentences. Verify endings. Say the answers aloud.
- ❑ Do Writing Activities A 1–3 in the **Workbook** (p. 281).

If You Don't Understand . . .

- ❑ Reread activity directions. Put the directions in your own words.
- ❑ Read the model several times. Be sure you understand it.
- ❑ Say aloud everything that you write. Be sure you understand what you are saying.
- ❑ When writing a sentence, ask yourself, "What do I mean? What am I trying to say?"
- ❑ Write down any questions so that you can ask your partner or your teacher later.

Self Check

Complétez les phrases suivantes d'après le modèle.

▶ nous / voyager / France / cet été
Nous voyagerons en France cet été.

1. Anne et Hélène / revenir / Suède / dans deux semaines
2. ils / visiter / Canada / l'été prochain
3. elles / finir / leur projet / la semaine prochaine
4. tu / vendre / ta voiture / n'est-ce pas?
5. vous / montrer / vos photos / ce soir / n'est-ce pas?

Answers

1. Anne et Hélène reviendront de Suède dans deux semaines. 2. Ils visiteront le Canada l'été prochain. 3. Elles finiront leur projet la semaine prochaine. 4. Tu vendras ta voiture, n'est-ce pas? 5. Vous montrerez vos photos ce soir, n'est-ce pas?

Nom ______________________________

Classe ____________________ Date ____________

Discovering FRENCH Nouveau

BLANC

B. Futurs irréguliers, pages 455–456

Materials Checklist

- ❑ **Student Text**
- ❑ **Workbook**

Steps to Follow

- ❑ Study *Futurs irréguliers* (p. 455). Write the conjugations of **avoir** and **être**.
- ❑ Do Activities 5 and 6 in the text (p. 455).
- ❑ Do Activity 7 in the text (p. 456). Answer the questions in complete sentences and circle the verb in each answer. Read your answers aloud.
- ❑ Do Writing Activity B 4 in the **Workbook** (p. 282).

If You Don't Understand . . .

- ❑ Reread activity directions. Put the directions in your own words.
- ❑ Read the model several times. Be sure you understand it.
- ❑ Say aloud everything that you write. Be sure you understand what you are saying.
- ❑ When writing a sentence, ask yourself, "What do I mean? What am I trying to say?"
- ❑ Write down any questions so that you can ask your partner or your teacher later.

Self Check

Faites des phrases complètes avec les éléments suivants, d'après le modèle.

▶ je / faire / mes devoirs / plus tard
Je ferai mes devoirs plus tard.

1. nous / être / en retard
2. vous / voir / le Mont Royal
3. tu / aller / en ville
4. il / avoir / un séjour agréable
5. ils / faire / un tour du lac

Answers

1. Nous serons en retard. 2. Vous verrez le Mont Royal. 3. Tu iras en ville. 4. Il aura un séjour agréable. 5. Ils feront un tour du lac.

Nom ______________________________

Classe ______________________ Date ______________

Discovering FRENCH Nouveau!

BLANC

C. L'usage du futur dans les phrases avec *si*, page 457

Materials Checklist

- ❑ **Student Text**
- ❑ **Audio** CD 13, Track 18
- ❑ **Workbook**

Steps to Follow

- ❑ Study *L'usage du futur dans les phrases avec* ***si*** (p. 457). Copy the model sentences. Circle the verb in the present tense; underline the verb in the future tense. Say the model sentences aloud.
- ❑ Do Listening/Speaking Activities, Section 2, Activity F in the **Workbook** (p. 280). Use **Audio** CD 13, Track 18.
- ❑ Do Activity 8 in the text (p. 457). Remember: In the result clause, the verb is in the future. Underline the verbs in the future. Say your answers aloud.
- ❑ Do Activity 9 in the text (p. 457). Write the dialogues in complete sentences.
- ❑ Do Writing Activity C 5 in the **Workbook** (p. 282).

If You Don't Understand . . .

- ❑ Reread activity directions. Put the directions in your own words.
- ❑ Read the model several times. Be sure you understand it.
- ❑ Say aloud everything that you write. Be sure you understand what you are saying.
- ❑ When writing a sentence, ask yourself, "What do I mean? What am I trying to say?"
- ❑ Listen to the **CD** in a quiet place. Try to stay focused. If you get lost, stop the **CD.** Replay it and find your place.
- ❑ Write down any questions so that you can ask your partner or your teacher later.

Self Check

Faites des phrases complètes avec les éléments suivants, d'après le modèle.

▶ si / je / finir / mes devoirs / je / aller / au café
Si je finis mes devoirs, j'irai au café.

1. si / nous / ne pas finir / notre travail / nous / être en retard
2. si / vous / ne pas étudier / vous / ne pas réussir aux examens
3. si / elle / ne pas manger / elle / avoir faim plus tard
4. si / tu / travailler bien / avoir / une bonne note
5. si / je / faire la cuisine / nous / manger / des spaghetti

Answers

1. Si nous ne finissons pas notre travail, nous serons en retard. 2. Si vous n'étudiez pas, vous ne réussirez pas aux examens. 3. Si elle ne mange pas, elle aura faim plus tard. 4. Si tu travailles bien, tu auras une bonne note. 5. Si je fais la cuisine, nous mangerons des spaghetti.

Nom ______________________________

Classe ______________________ Date ______________

D. L'usage du futur après *quand*, page 458

E. D'autres futurs irréguliers, page 459

Materials Checklist

- ❑ **Student Text**
- ❑ **Audio** CD 5, Track 8; **Audio** CD 13, Tracks 15–17
- ❑ **Workbook**

Steps to Follow

- ❑ Study *L'usage du futur après* ***quand*** (p. 458). Copy the model sentences. Circle the verb in the **quand**-clause; underline the verb in the main clause. Say the sentences aloud.
- ❑ Do Activities 10 and 11 in the text (p. 458).
- ❑ Study *D'autres futurs irréguliers* (p. 459). List the future stems of these irregular verbs.
- ❑ Do Listening/Speaking Activities, Section 2, Activities C–E in the **Workbook** (pp. 279–280). Use **Audio** CD 13, Tracks 15–17.
- ❑ Do Activity 12 in the text (p. 459). Read your answers aloud.
- ❑ Do Writing Activities D 6–7 and E8 in the **Workbook** (p. 283).
- ❑ Do Activity 1 of *À votre tour!* in the text (p. 459). Use **Audio** CD 5, Track 8.

If You Don't Understand . . .

- ❑ Reread activity directions. Put the directions in your own words.
- ❑ Read the model several times. Be sure you understand it.
- ❑ Say aloud everything that you write. Be sure you understand what you are saying.
- ❑ When writing a sentence, ask yourself, "What do I mean? What am I trying to say?"
- ❑ Listen to the **CDs** in a quiet place. Try to stay focused. If you get lost, stop the **CDs**. Replay them and find your place.
- ❑ Write down any questions so that you can ask your partner or your teacher later.

Self Check

Faites des phrases complètes avec les éléments suivants, d'après le modèle.

► quand / Jean / être / à Paris / visiter / le Louvre
Quand Jean sera à Paris, il visitera le Louvre.

1. quand / je / savoir / la réponse / vous / la dire
2. quand / vous / venir / nous / faire / un tour du lac
3. quand / nous / être / au restaurant / nous / voir / nos amis
4. quand / tu / arriver / au cinéma / tu / t'amuser
5. quand / elle / recevoir / le nouveau CD / elle / envoyer / un chèque

Answers

1. Quand je saurai la réponse, je vous la dirai. 2. Quand vous viendrez, nous ferons un tour du lac. 3. Quand nous serons au restaurant, nous verrons nos amis. 4. Quand tu arriveras au cinéma, tu t'amuseras. 5. Quand elle recevra le nouveau CD, elle enverra un chèque.

Nom ______________________________

Classe ______________________ Date ______________

Discovering FRENCH Nouveau!

BLANC

LEÇON 31 Projet de voyage

L'avenir!

Ask a family member to predict your future. Have him or her choose from among the possibilities listed below.

- First, explain your assignment.
- Next, help the family member pronounce the words. Model the pronunciation as you point to each picture. Give English equivalents if necessary.
- Then, ask the question, **Qu'est-ce que je ferai dans dix ans?**
- When you have a prediction, complete the sentence at the bottom of the page.

Dans dix ans . . .

tu voyageras en Europe

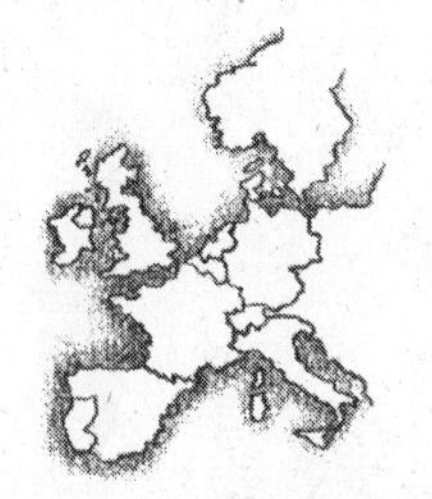

tu auras un bel appartement

QUARTIER LATIN
chambre d'étudiant
avec s.d.b.
possibilité cuisine
230€
Tél. 04-42-21-35-64

MONTMARTRE
dans immeuble rénové
bel appt.
2 ch., s.d.b., w.c.
cuisine équipée
grand living
770€
Tél. 03-44-61-12-49

PARC MONCEAU
immeuble ancien
2 ch, balcon
double living
tout confort
1400€
Tél. 05-45-12-70-36

NATION
immeuble moderne
studio, s.d.b.
kitchenette
385€
Tél. 04-42-28-54-85

PASSY
superbe 5 pièces
3 ch, 2 bains
h. ch.
1525€
Tél. 01-46-95-16-02

tu écriras un roman

tu chanteras dans un groupe de rock

tu joueras aux sports professionnels

Dans dix ans, je ____.

URB p. 93

Nom ___________________________

Classe ___________________ Date ___________

Si . . .

Ask a family member what he or she would do if he or she won the lottery. Choose from among the possibilities listed below.

- First, explain your assignment.
- Next, help the family member pronounce the words. Model the pronunciation as you point to each picture. Give English equivalents if necessary.
- Then, ask the question, **Qu'est-ce que tu feras si tu gagnes la Loto?**
- When you have an answer, complete the sentence at the bottom of the page.

Si je gagne la Loto . . .

je partirai en vacances

j'achèterai une maison

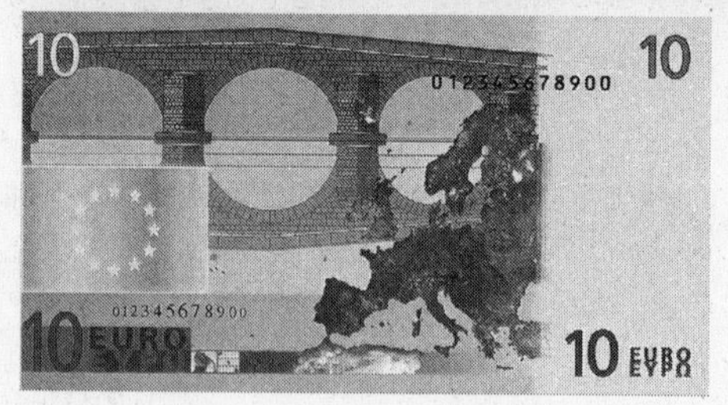

je donnerai de l'argent aux pauvres

Si ___________________ **gagne la Loto,** ___________________

____.

LEÇON 31 Projet de voyage

Cultural Commentary

- Along with other mementos in his collection, Jérôme has a sword (**une épée**) displayed on his bedroom wall.
- **Genève**, a famous international city, lies to the north of Annecy in French-speaking Switzerland **(la Suisse Romande)**. It is located on the southwestern tip of **lac Léman** (Lake Geneva). The **Rhône** river has its source in the Swiss Alps, flows through Lake Geneva and continues its journey southward until it empties into the Mediterranean Sea at Marseille. The river is an important source of hydroelectric energy for the entire country. In the video, Armelle is suggesting a boat ride on **lac Léman** during the proposed trip to Geneva.
- The Annecy train station is located off **la Place de la Gare**, a short distance down the street from the **Centre Bonlieu** shopping mall.

Grammar Correlation

A Le futur: formation régulière (Student text, pp. 452–453)

Armelle: Et où est-ce qu'on **se retrouvera** samedi matin?
Jérôme: Demain j'**achèterai** les billets.
Pierre: À quelle heure est-ce qu'on **partira**?
Jérôme: Eh bien, on **prendra** le train.

B Futurs irréguliers (Student text, p. 455)

Pierre: Comment est-ce qu'on **ira** là-bas?
Armelle: Et qu'est-ce qu'on **fera** quand on **sera** à Genève?
On **verra** bien.
Jérôme: Bon, j'**irai** demain à la gare.
J'espère que vous **serez** à l'heure.
Je **serai** à la gare à huit heures pile.

D L'usage du futur après *quand* (Student text, p. 458)

Armelle: Et qu'est-ce qu'on **fera** quand on **sera** à Genève?

E D'autres futurs irréguliers (Student text, p. 459)

Jérôme: On **pourra** visiter le musée d'art et d'histoire.

URB p. 95

Nom ______________________________

Classe ______________________ Date ______________

Discovering FRENCH Nouveau!

BLANC

LEÇON 31 Projet de voyage

Video 2, DVD 2

Activité 1. Tu te rappelles?

Do you remember what happened in the last episode? Before watching the next video scene, find the hidden words in the boxes by blackening out the unused letters.

Dans l'épisode précédent, Pierre et Armelle (1) | E | S | P | O | N | S | T | E | allés chez Jérôme, (2) | P | M | A | U | I | E | C | S | Jérôme n'était pas chez lui. (3) | I | A | D | L | O | M | R | S | ils ont regardé les (4) | O | M | B | J | E | T | S | E | qui étaient (5) | E | D | A | U | N | R | S | N | la chambre de Jérôme.

Activité 2. Vérifie!

Counter 42:15–42:35

Now correct Activity 1 above as you watch the first segment of the video scene.

Activité 3. Pour quand?

Counter 42:36–42:45

When Jérôme returns, he suggests something to Armelle and Pierre. For when? As you watch the video, circle the correct word in the caption below.

Dites donc, j'ai quelque chose à vous proposer pour samedi dimanche prochain.

URB
p. 96

Nom ___________________________

Classe ___________________ Date ___________

Discovering FRENCH Nouveau!

BLANC

Activité 4. L'idée de Jérôme

Counter 42:46–43:53

What is Jérôme's idea for next Saturday? As you watch the video, read the captions below and number them from 1 to 8 in their order of appearance. (*Note:* Scène 1 = 1–4; Scène 2 = 5–8.)

SCÈNE 1

_____ a. —Eh bien, on prendra le train.

_____ b. —On pourra visiter le musée d'art et d'histoire.

_____ c. —Moi, j'aimerais faire le tour du lac en bateau.

_____ d. —Qu'est-ce que vous pensez d'un voyage à Genève?

SCÈNE 2

_____ e. —Il y a des tas de choses à faire à Genève.

_____ f. —T'en fais pas. Je serai à la gare à huit heures pile.

_____ g. —À quelle heure est-ce qu'on partira?

_____ h. —J'irai demain à la gare et j'achèterai les billets.

1.

2.

3.

▶ Tu as bien compris?

Fill in the missing hands on the clocks below.

1. Il y a un train à 

2. Jérôme sera à la gare à (clock) avec les billets.

Activité 5. Rappel!

Do you remember what Jérôme, Armelle, and Pierre said in the video scene? Go back to Activity 4 and draw a line from each caption to the photo of the person who said it.

URB p. 97

Nom ______________________________

Classe ____________________ Date ______________

Discovering FRENCH *Nouveau!*

BLANC

▶ **EXPRESSION POUR LA CONVERSATION: À huit heures pile!**

Question: Jérôme promises to be at the train station **«à huit heures pile»**. What does the word **pile** mean in this expression?

Réponse: ______________________________ *

Activité 6. À huit heures pile!

What do you like to do on a Saturday afternoon? Imagine that you have agreed to meet your friends somewhere by a certain time. (Choose an hour from one o'clock to five o'clock.) Fill in the information and the empty bubble below.

▶ Où? au centre sportif

À quelle heure?

Je serai au centre sportif à trois heures pile.

Où? ____________________

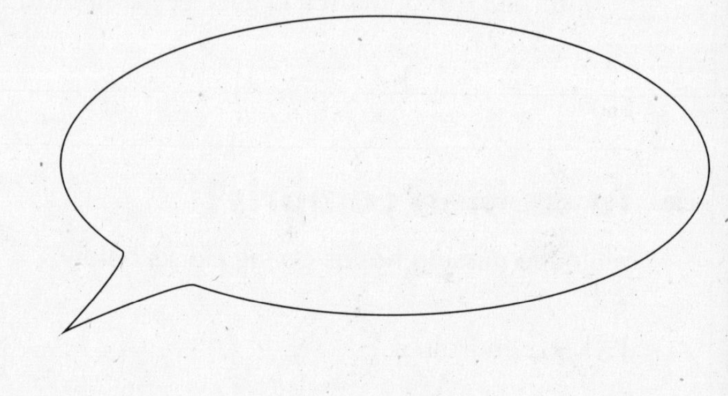

À quelle heure?

When you have finished, your teacher will call out a time. If you filled in your clock with that particular time, volunteer to read your caption aloud. (Your teacher may ask you one or two follow-up questions.)

URB p. 98

*Answer: "On the dot (sharp)."

Nom ______________________________

Classe ______________________ Date ______________

Discovering FRENCH Nouveau!

BLANC

Activité 7. Le bon verbe

The computer deleted the future verb forms in eight sentences from the video script. Read the sentences below and fill in the missing words in the crossword puzzle. Choose from the verbs in the box.

acheter	**aller**	**être**	**faire**
pouvoir	**prendre**	**retrouver**	**voir**

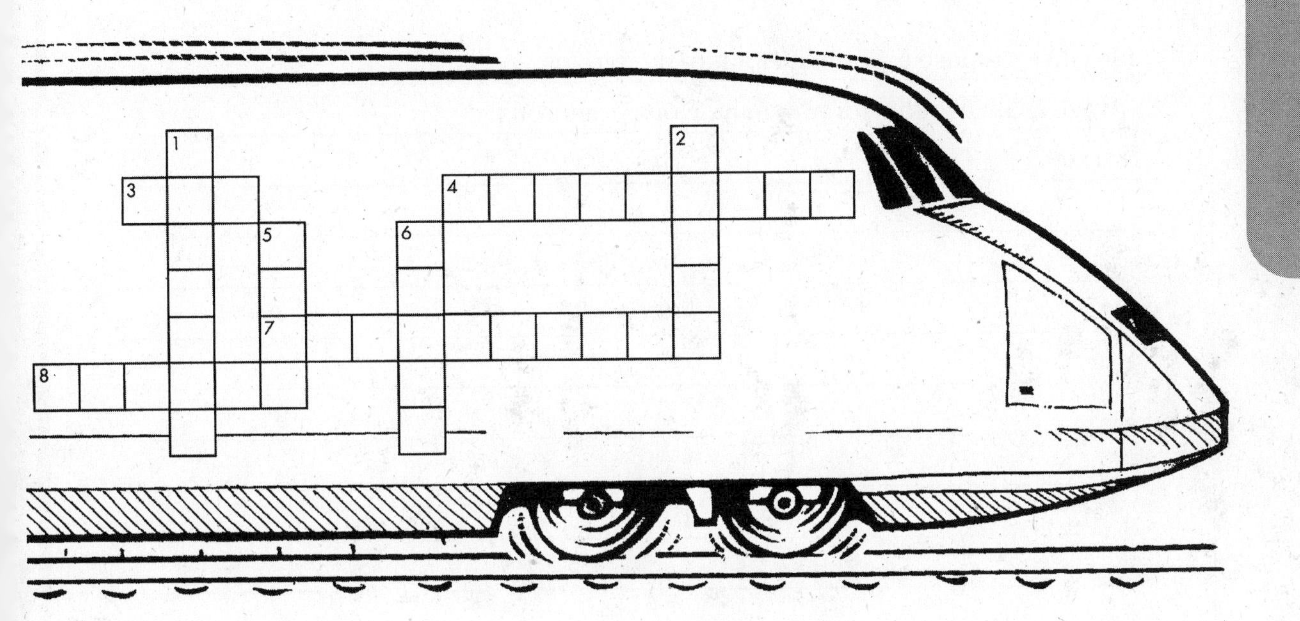

Horizontalement

3. «Comment est-ce qu'on ___ là-bas?»
4. «J'irai demain à la gare et j'___ les billets.»
7. «Et où est-ce qu'on se ___ samedi prochain?»
8. «On ___ visiter le musée d'art et d'histoire.»

Verticalement

1. «Eh bien, on ___ le train.»
2. «Il y a des tas de choses à faire à Genève. On ___ bien.»
5. «Alors, on ___ le tour du lac en bateau.»
6. «J'espère que vous ___ à l'heure!»

URB p. 99

Nom ______________________________

Classe ______________________ Date ______________

Discovering FRENCH Nouveau!

BLANC

Activité 8. La note de Pierre

Before going to Geneva, Pierre must first check with his parents. Since M. and Mme Duval are not home and Pierre and Armelle have shopping to do, Pierre decides to leave them a note. In his note, he describes the proposed trip in detail and asks his parents' permission to go. Using the future tense, write the note for Pierre. (If necessary, refer back to Activity 4 for the main ideas.)

Chers parents,

Jérôme a proposé à Armelle et à moi de faire un
voyage à Genève samedi prochain. Nous prendrons
le train . . .

Alors, est-ce que je peux aller à Genève avec Jérôme
et Armelle?

Pierre

URB
p. 100

Nom ______________________________

Classe ____________________ Date ____________

Discovering FRENCH Nouveau!

BLANC

Activité 9. Allons à Genève!

Jérôme, Pierre, and Armelle have invited you to join them on their trip to Geneva! What will you do both before and during the trip? Fill in each section of the card below with a different activity from the box. (Write complete sentences using the *future tense.*) Then, get together with several classmates and copy each activity from the box onto a separate index card. Place the cards face down in a pile. Take turns drawing a card and calling out the activity. As you go, mark your cards with cover-ups as in bingo. The first player to cover three squares in a row—horizontally, vertically or diagonally—wins the round by calling out «**un, deux, trois Suisses!**» and verifying his/her sentences. You may wish to play several rounds by marking your cards in different ways, exchanging cards, etc. **Bon voyage!**

acheter les billets	**partir à 8h15**	**regarder le jet d'eau**
aller à la gare	**passer dans les Alpes**	**visiter les banques**
être à la gare à 8h15	**prendre le train**	**voir le Jura** (mountains)
faire le tour du lac	**se promener au parc**	**voyager à Genève**

Note: For a longer game, add these additional activities: **admirer le lac, faire des tas de choses, partir samedi prochain**.

1-2-3 SUISSES!

Je (J')	**On**	**Armelle**
Tu	**Jérôme et moi, nous**	**Ils**
Pierre	**Elles**	**Vous**

FLASH culturel

Les 3 Suisses is a _____.

a. chain of banks **b.** mail-order catalog **c.** brand of chocolate **d.** kind of cheese

URB p. 101

LEÇON 31 Vidéo-scène: Projet de voyage

Video 2, DVD 2

42:08–43:53

Counter 42:15–42:35 1. CLAIRE: Dans l'épisode précédent, Pierre et Armelle sont allés chez Jérôme, mais Jérôme n'était pas chez lui. Alors ils ont regardé les objets qui étaient dans la chambre de Jérôme.
ARMELLE: Il est super, le chapeau de cowboy.
CLAIRE: Finalement, Jérôme est arrivé. Regardez et écoutez.

Counter 42:36–42:45 2. JÉRÔME: Salut!
ARMELLE: Salut!
JÉRÔME: Ça va?
PIERRE: Oui, ça va.
JÉRÔME: Dites donc, j'ai quelque chose à vous proposer pour samedi prochain.
PIERRE: Quoi donc?

Counter 42:46–42:56 3. JÉRÔME: Qu'est-ce que vous pensez d'un voyage à Genève?
ARMELLE: C'est une bonne idée.
PIERRE: Moi, je veux bien. Comment est-ce qu'on ira là-bas?
JÉRÔME: Eh bien, on prendra le train.

Counter 42:57–43:11 4. ARMELLE: Et qu'est-ce qu'on fera quand on sera à Genève?
JÉRÔME: On pourra visiter le musée d'art et d'histoire.
PIERRE: Ah non, moi, les musées ça ne m'intéresse pas du tout.
ARMELLE: Moi, j'aimerais faire un tour du lac en bateau.
PIERRE: Pour ça, je suis d'accord.
JÉRÔME: Bon, alors, on fera le tour du lac en bateau.

Counter 43:12–43:26 5. PIERRE: Et qu'est-ce qu'on fera ensuite?
ARMELLE: Il y a des tas de choses à faire à Genève. On verra bien.
PIERRE: À quelle heure est-ce qu'on partira?
JÉRÔME: Il y a un train vers huit heures et quart. C'est pas trop tôt?
ARMELLE: Non, ça va.

Counter 43:27–43:45 6. JÉRÔME: Bon alors, puisque vous êtes d'accord, j'irai demain à la gare et j'achèterai les billets.
ARMELLE: Et où est-ce qu'on se retrouvera samedi matin?
JÉRÔME: Devant la gare à huit heures. J'espère que vous serez à l'heure.
PIERRE: Et toi aussi!

Counter 43:46–43:53 7. JÉRÔME: T'en fais pas. Je serai à la gare à huit heures pile avec les billets!

LEÇON 31 Projet de voyage

PE AUDIO

CD 5, Track 7

Vidéo-scène, p. 450

CLAIRE: Dans l'épisode précédent, Pierre et Armelle sont allés chez Jérôme, mais Jérôme n'était pas chez lui. Alors ils ont regardé les objets qui étaient dans la chambre de Jérôme. Finalement, Jérôme est arrivé.
JÉRÔME: Salut!
ARMELLE: Salut!
JÉRÔME: Ça va?
PIERRE: Oui, ça va.
JÉRÔME: Dites donc, j'ai quelque chose à vous proposer pour samedi prochain.
PIERRE: Quoi donc?
JÉRÔME: Qu'est-ce que vous pensez d'un voyage à Genève?
ARMELLE: C'est une bonne idée.
PIERRE: Moi, je veux bien . . . Comment est-ce qu'on ira là-bas?
JÉRÔME: Eh bien, on prendra le train.
ARMELLE: Et qu'est-ce qu'on fera quand on sera à Genève?
JÉRÔME: On pourra visiter le Musée d'Art et d'Histoire . . .
PIERRE: Ah non, moi, les musées ça ne m'intéresse pas du tout.
ARMELLE: Moi, j"aimerais faire le tour du lac en bateau.
PIERRE: Pour ça, je suis d'accord.
JÉRÔME: Bon. Alors, on fera le tour du lac en bateau.
PIERRE: Et qu'est-ce qu'on fera ensuite?
ARMELLE: Il y a des tas de choses à faire à Genève. On verra bien ...
PIERRE: À quelle heure est-ce qu'on partira?
JÉRÔME: Il y a un train vers huit heures et quart. C'est pas trop tôt?
ARMELLE: Non, ça va.
JÉRÔME: Bon alors, puisque vous êtes d'accord, j'irai demain à la gare et j'achèterai les billets.
ARMELLE: Et où est-ce qu'on se retrouvera samedi matin?
JÉRÔME: Devant la gare à huit heures. J'espère que vous serez à l'heure.
PIERRE: Et toi aussi!
JÉRÔME: T'en fais pas. Je serai à la gare à huit heures pile avec les billets!

À votre tour!

CD 5, Track 8

1. Conversation: Voyage, p. 459

Béatrice et Karine ont décidé de faire un voyage pendant les vacances. Écoutez leur conversation.

BÉATRICE: Dis, où est-ce que nous irons pendant les vacances?
KARINE: On ira à la mer.
BÉATRICE: Où ça?
KARINE: Eh bien, en Normandie.
BÉATRICE: C'est une jolie région . . . On pourra faire des promenades à vélo . . . Dis, est-ce qu'on logera à l'hôtel?
KARINE: Mais non, on fera du camping.
BÉATRICE: Ce sera plus amusant! Quand est-ce qu'on partira?
KARINE: Le 15 juillet.
BÉATRICE: Et quand est-ce qu'on rentrera?
KARINE: Le 15 août.

WORKBOOK AUDIO

Section 1. Vidéo-scène

CD 13, Track 13

Activité A. Compréhension générale, p. 450

Allez à la page 450 de votre texte.

CLAIRE: Dans l'épisode précédent, Pierre et Armelle sont allés chez Jérôme, mais Jérôme n'était pas chez lui. Alors ils ont regardé les objets qui étaient dans la chambre de Jérôme. Finalement, Jérôme est arrivé.
JÉRÔME: Salut!
ARMELLE: Salut!
JÉRÔME: Ça va?
PIERRE: Oui, ça va.
JÉRÔME: Dites donc, j'ai quelque chose à vous proposer pour samedi prochain.
PIERRE: Quoi donc?
JÉRÔME: Qu'est-ce que vous pensez d'un voyage à Genève?
ARMELLE: C'est une bonne idée.
PIERRE: Moi, je veux bien . . . Comment est-ce qu'on ira là-bas?
JÉRÔME: Eh bien, on prendra le train.
ARMELLE: Et qu'est-ce qu'on fera quand on sera à Genève?
JÉRÔME: On pourra visiter le Musée d'Art et d'Histoire . . .
PIERRE: Ah non, moi, les musées ça ne m'intéresse pas du tout.
ARMELLE: Moi, j'aimerais faire le tour du lac en bateau.
PIERRE: Pour ça, je suis d'accord.
JÉRÔME: Bon. Alors, on fera le tour du lac en bateau.
PIERRE: Et qu'est-ce qu'on fera ensuite?
ARMELLE: Il y a des tas de choses à faire à Genève. On verra bien . . .
PIERRE: À quelle heure est-ce qu'on partira?
JÉRÔME: Il y a un train vers huit heures et quart. C'est pas trop tôt?
ARMELLE: Non, ça va.
JÉRÔME: Bon alors, puisque vous êtes d'accord, j'irai demain à la gare et j'achèterai les billets.
ARMELLE: Et où est-ce qu'on se retrouvera samedi matin?
JÉRÔME: Devant la gare à huit heures. J'espère que vous serez à l'heure.
PIERRE: Et toi aussi!
JÉRÔME: T'en fais pas. Je serai à la gare à huit heures pile avec les billets!

CD 13, Track 14

Activité B. Avez-vous compris?

Maintenant ouvrez votre cahier d'activités. Écoutez bien et indiquez si les phrases suivantes sont vraies ou fausses. Vous allez entendre chaque phrase deux fois. Êtes-vous prêts?

1. Jérôme a quelque chose à proposer pour samedi prochain. #
2. Il propose un voyage à Monaco. #
3. Les jeunes vont y aller en train. #
4. Pierre n'aime pas les musées. #

5. Armelle veut faire le tour du lac en voiture. #
6. Ils vont partir à huit heures et quart du matin. #
7. C'est Armelle qui va acheter les billets. #
8. Ils doivent se retrouver devant la gare à sept heures. #

Maintenant, corrigez vos réponses.

1. Jérôme a quelque chose à proposer pour samedi prochain. Vrai.
2. Il propose un voyage à Monaco. Faux. Il propose un voyage à Genève.
3. Les jeunes vont y aller en train. Vrai.
4. Pierre n'aime pas les musées. Vrai.
5. Armelle veut faire le tour du lac en voiture. Faux. Elle veut faire le tour du lac en bateau.
6. Ils vont partir à huit heures et quart samedi matin. Vrai.
7. C'est Armelle qui va acheter les billets. Faux. C'est Jérôme qui va acheter les billets.
8. Ils doivent se retrouver devant la gare à sept heures. Faux. Ils doivent s'y retrouver à huit heures.

Section 2. Langue et communication

CD 13, Track 15

Activité C. Visite à Genève

Jérôme, Pierre et Armelle vont visiter Genève demain. Madame Duval demande s'ils vont faire les choses suivantes. Donnez leur réponse affirmative. Utilisez le futur.

Modèle: Vous allez visiter la ville?
Oui, nous visiterons la ville.

1. Vous allez prendre le train? #
   Oui, nous prendrons le train.
2. Vous allez choisir des cartes postales? #
   Oui, nous choisirons des cartes postales.
3. Vous allez vous promener en ville? #
   Oui, nous nous promènerons en ville.
4. Vous allez dîner près du lac? #
   Oui, nous dînerons près du lac.
5. Vous allez rentrer avant minuit? #
   Oui, nous rentrerons avant minuit.

Madame Duval pose quelques questions de plus, mais cette fois les jeunes répondent négativement. Jouez leur role en utilisant le futur.

Modèle: Vous allez visiter le musée d'art?
Non, nous ne visiterons pas le musée d'art.

6. Vous allez visiter le musée d'histoire? #
   Non, nous ne visiterons pas le musée d'histoire.
7. Vous allez acheter des souvenirs? #
   Non, nous n'achèterons pas de souvenirs.
8. Vous allez prendre beaucoup de photos? #
   Non, nous ne prendrons pas beaucoup de photos.

CD 13, Track 16

Activité D. Pas encore

Dans quinze jours, Bernard part au Sénégal. Sa copine Brigitte lui demande s'il a fait certains préparatifs. Il dit qu'il va les faire. Donnez les réponses de Bernard en utilisant les phrases de votre cahier d'activités.

Modèle: Tu as cherché ton passeport?
Pas encore. Je chercherai mon passeport demain matin.

1. Tu as acheté ton billet? #
   Pas encore. J'achèterai mon billet demain après-midi.
2. Tu as téléphoné à ton oncle à Dakar? #
   Pas encore. Je téléphonerai à mon oncle ce soir.
3. Tu as reçu ton visa? #
   Pas encore. Je recevrai mon visa vendredi prochain.
4. Tu as choisi tes vêtements? #
   Pas encore. Je choisirai mes vêtements dans une semaine.
5. Tu as écrit à tes amis du Sénégal? #
   Pas encore. J'écrirai à mes amis après le dîner.
6. Tu as dit au revoir à tes copains? #
   Pas encore. Je dirai au revoir à mes copains samedi prochain.

CD 13, Track 17

Activité E. Quand il sera en Europe . . .

Monsieur Weston va visiter l'Europe cet été. Écoutez ce qu'il fera dans chaque pays. Puis, faites un trait entre le pays et l'activité correspondante. Then draw a line from that country to the corresponding activity.

MODÈLE: Quand M. Weston sera en Irlande, il jouera au golf.
You would draw a line from Ireland to phrase G: jouer au golf.

1. Quand il sera en France, il verra la Tour Eiffel. #
2. Quand il sera en Belgique, il ira à Bruxelles. #
3. Quand il sera en Angleterre, il boira du thé. #
4. Quand il sera en Suisse, il fera du ski. #
5. Quand il sera en Allemagne, il pourra parler allemand. #
6. Quand il sera au Portugal, il devra visiter Lisbonne. #
7. Quand il sera en Italie, il aura envie de visiter Venise. #
8. Quand il sera en Espagne, il enverra des cartes à ses amis. #

Maintenant vérifiez vos réponses. You should have made the following connections: A–2. B–7, C–3, D–6, E–8, F–4, G–0, H–5, and I–1.

CD 13, Track 18

Activité F. Si je fais du camping . . .

Pierre pense qu'il va peut-être faire du camping cet été. Armelle lui pose des questions. Jouez le rôle de Pierre. Dans vos réponses, utilisez l'information indiquée par les illustrations de votre cahier.

MODÈLE: Si tu fais du camping, où est-ce que tu iras?
J'irai à la mer.

1. Si tu fais du camping, qu'est-ce que tu regarderas? #
   Je regarderai une carte de la région.
2. Si tu fais du camping, qu'est-ce que tu utiliseras? #
   J'utiliserai mon sac à dos.
3. Si tu fais du camping, qu'est-ce que tu prendras? #
   Je prendrai ma lampe de poche.
4. Si tu fais du camping, qu'est-ce que tu achèteras? #
   J'achèterai un sac de couchage.
5. Si tu fais du camping, où est-ce que tu dormiras? #
   Je dormirai dans une tente.
6. Si tu fais du camping, comment est-ce que tu feras la cuisine? #
   Je ferai la cuisine sur un réchaud.

BLANC

LESSON 31 QUIZ

Part I: Listening

CD 22, Track 3

A. Conversations

You will hear a series of short conversations in which people are talking about their future plans. These conversations are incomplete. Select the most logical CONTINUATION of each conversation and circle the corresponding letter: a, b, or c. You will hear each conversation twice.

Écoutez.

Conversation 1. Philippe parle à sa soeur Nathalie.

PHILIPPE: Tu vas rester ici ce week-end?
NATHALIE: Non, je vais faire du camping avec une copine.
PHILIPPE: Quand est-ce que vous partirez?

Conversation 2. Gabriel parle à Stéphanie.

GABRIEL: Qu'est-ce que tu vas faire cet été?
STÉPHANIE: Je vais faire un voyage aux États-Unis.
GABRIEL: Tu m'écriras?

Conversation 3. Olivier parle à Juliette.

OLIVIER: Qu'est-ce que tu vas faire samedi prochain?
JULIETTE: Ça dépend. S'il fait beau, j'irai à la plage.
OLIVIER: Et s'il fait mauvais?

Conversation 4. Caroline parle à Frédéric.

CAROLINE: Alors, qu'est-ce que tu vas faire pendant les vacances?
FRÉDÉRIC: Je vais aller en Normandie avec ma famille.
CAROLINE: Vous avez loué des chambres d'hôtel?

Conversation 5. Véronique parle à Éric.

VÉRONIQUE: Est-ce que je peux te téléphoner après le dîner?
ÉRIC: Je suis désolé, mais je ne serai pas chez moi.
VÉRONIQUE: Ah bon? Où seras-tu?

Conversation 6. Catherine parle à son cousin Vincent.

CATHERINE: Où vas-tu cet après-midi?
VINCENT: Au ciné.
CATHERINE: Je peux venir avec toi?
VINCENT: Oui, si tu veux. Mais dépêche-toi!
CATHERINE: Quand est-ce qu'on partira?

QUIZ 31

Part I: Listening

A. Conversations (30 points: 5 points each)

You will hear a series of short conversations in which people are talking about their future plans. These conversations are incomplete. Select the most logical continuation of each conversation and circle the corresponding letter: a, b, or c.

Conversation 1. Philippe parle à sa soeur Nathalie.
Nathalie répond:
a. Samedi matin à dix heures.
b. Elle est partie hier.
c. Oui, je resterai à la maison.

Conversation 2. Gabriel parle à Stéphanie.
Stéphanie répond:
a. Après, j'irai au Canada.
b. Je rentrerai le 15 août.
c. Oui, je t'enverrai des cartes postales.

Conversation 3. Olivier parle à Juliette.
Juliette répond:
a. Je ferai de la planche à voile.
b. Je regarderai la télé.
c. J'achèterai un maillot de bain.

Conversation 4. Caroline parle à Frédéric.
Frédéric répond:
a. Oui, nous louerons une villa.
b. Non, nous n'avons pas de caravane.
c. Non, nous logerons chez des amis.

Conversation 5. Véronique parle à Éric.
Éric répond:
a. À la maison.
b. Chez toi.
c. Chez un copain.

Conversation 6. Catherine parle à son cousin Vincent.
Vincent répond:
a. Demain après-midi.
b. Quand tu seras prête.
c. Après, on dînera au restaurant.

Part II: Writing

B. Une semaine à Paris (20 points: 4 points each)

A group of friends has decided to spend a week in Paris. Describe their plans, using the future forms of the verbs in parentheses.

1. (visiter) Tu ___ le Musée d'Orsay.
2. (prendre) Je ___ des photos de la Tour Eiffel.
3. (choisir) Nous ___ un bon hôtel.
4. (écrire) On ___ des cartes postales.
5. (sortir) Vous ___ avec des copains.

Nom ______________________________

Classe ____________________ Date ____________

Discovering FRENCH Nouveau

BLANC

C. Cet été (20 points: 4 points each)

Say what the following people will do this summer. Complete each sentence with the appropriate future form of the verb in parentheses.

1. (avoir) Marc ____________ une moto.
2. (faire) Juliette ____________ du camping.
3. (venir) Ma cousine ____________ chez moi.
4. (aller) Catherine ____________ à la mer.
5. (être) Philippe ____________ en colonie de vacances.

D. Projets de voyage (10 points: 2 points each)

Alice and Corinne are planning a trip to the United States this summer. Complete their plans by filling in the blanks with **quand** or **si,** as appropriate. (Before starting, read each sentence carefully.)

1. ________ nous gagnons de l'argent, nous irons aux États-Unis.
2. ________ nous irons aux États-Unis, nous passerons à New York.
3. ________ nous serons à New York, nous visiterons la Statue de la Liberté.
4. ________ nous allons en Louisiane, nous irons à la Nouvelle-Orléans.
5. ________ nous passerons à San Francisco, nous rendrons visite à des amis français qui habitent là-bas.

E. Expression personnelle (20 points: 5 points each)

Imagine that you are going to visit a country of your choice this summer. Describe your plans, using the future tense.

Mention . . .

- to which country you will go
- when you will leave
- what you will see
- when you will come back

- ______________________
- ______________________
- ______________________
  ____
- ______________________

URB p. 110

Nom ______________________

Classe ______________ Date ______________

Discovering FRENCH Nouveau!

BLANC

LEÇON 32 À la gare

LISTENING/SPEAKING ACTIVITIES

Section 1. Vidéo-scène

A. Compréhension générale

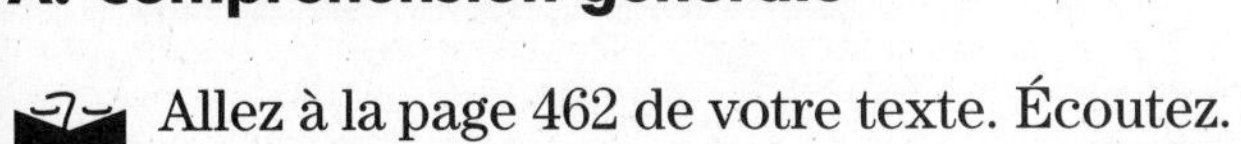

Allez à la page 462 de votre texte. Écoutez.

B. Avez-vous compris?

	vrai	faux		vrai	faux
1.	☑	☐	5.	☑	☐
2.	☐	☑	6.	☑	☐
3.	☑	☐	7.	☑	☐
4.	☐	☑			

Section 2 Langue et communication

C. Colonie de vacances

▶ ARMELLE: Où est-ce que vous dormiez?
VOUS: **On dormait dans des tentes.**

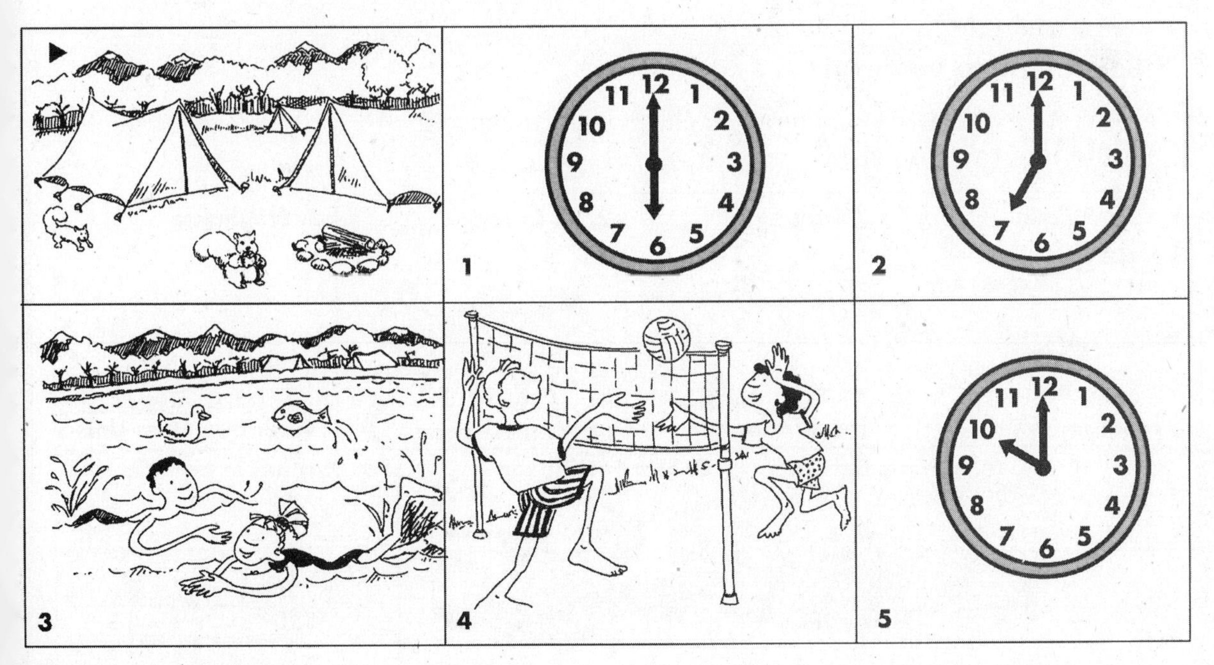

1. On se levait à six heures.
2. On prenait le petit dèjeuner à sept heures.
3. Le matin, on nageait.
4. L'après-midi, on jouait au volleyball.
5. On se couchait à dix heures.

URB p. 111

Nom ___________________________________

Classe ________________________ Date ______________

Discovering FRENCH Nouveau!

BLANC

D. Projets

▶ —Qu'est-ce que M. Laval ferait s'il avait vingt mille dollars?
—Avec vingt mille dollars, il achèterait une caravane.

1. Avec deux cents dollars, elle achèterait un sac de couchage.
2. Avec quinze dollars, il achèterait une lampe de poche.

$20,000
acheter une caravane
▶ M. Laval
$200
acheter un sac de couchage
Mlle Charron
$15
acheter une lampe de poche
Pierre
$3000
aller à Tahiti
Mme Delarue
$1500
faire un voyage en Allemagne
Béatrice
$10
aller au cinéma
Jean-Pierre
$50
prendre des leçons de danse
Caroline

3. Avec trois mille dollars, elle irait à Tahiti.
4. Avec mille cinq cents dollars, elle ferait un voyage en Allemagne.
5. Avec dix dollars, il irait au cinéma.
6. Avec cinquante dollars, elle prendrait des leçons de danse.

E. À la gare

▶ Je veux un billet.
Je voudrais un billet.

1. Je voudrais un aller et retour pour Annecy.
2. Je voudrais voyager en seconde classe.
3. Je voudrais un billet pour ce soir.
4. Pourriez-vous m'aider?
5. Pourriez-vous me dire à quelle heure part le train?
6. Pourriez-vous me dire à quelle heure il arrive à Annecy?

F. S'ils étaient en vacances . . .

▶ —Qu'est-ce que Mme Colin ferait, si elle était en vacances?
—Elle louerait une villa.

1. Il ferait du camping.
2. Il irait en Espagne.
3. Elle viendrait aux États-Unis.
4. Ils iraient à la campagne.
5. Ils loueraient une caravane.
6. Elles feraient un voyage en Italie.

URB p. 112

Nom ______________________

Classe ______________ Date ______________

Discovering FRENCH Nouveau!

BLANC

WRITING ACTIVITIES

B 1. Si c'était dimanche! (sample answers)

Dites si oui ou non les personnes suivantes feraient les choses entre parenthèses si c'était dimanche aujourd'hui.

▶ (étudier) Nous n'étudierions pas.

1. (sortir) Marc sortirait avec ses copains.
2. (travailler) Mademoiselle Lenard ne travaillerait pas.
3. (faire) Je ferais mes devoirs.
4. (aller) Les élèves n'iraient pas à l'école.
5. (se reposer) Hélène se reposerait.
6. (se lever) Tu ne te leverais pas tôt.
7. (se promener) Nous nous promenerions en ville.

B 2. Choix personnels (sample answers)

Imaginez que vous avez la possibilité de faire les choses suivantes. Dites quel serait votre choix.

▶ visiter une ville? Je visiterais Québec (San Francisco, Paris, Tokyo).

1. visiter un continent? Je visiterais l'Afrique.
2. aller dans un pays? J'irais au Sénégal.
3. apprendre une autre langue? J'apprendrais l'italien.
4. acheter une voiture? J'achèterais une voiture de sport.
5. voir un film cette semaine? Je verrais Runaway Bride.
6. aller dans un restaurant? J'irais au restaurant Charley's.
7. faire un sport différent? Je ferais de la voile.
8. être une autre personne? Je serais Superman (Superwoman).

URB p. 113

Nom ______________________

Classe ______________ Date ______________

B 3. Que faire?

Dites ce que feraient les personnes suivantes si elles étaient dans les circonstances décrites. Utilisez les verbes entre parenthèses dans des phrases *à l'affirmatif* ou *au négatif*.

1. Je vois un OVNI *(UFO)*. (avoir peur? appeler la police? dire bonjour aux extraterrestres?)
   J'aurais peur. (Je n'aurais pas peur.)
   J'appellerais (Je n'appellerais pas) la police. Je (ne) dirais (pas) bonjour aux extraterrestres.

2. Nous voyons un accident. (aider les personnes? partir? téléphoner à la police?)
   Nous (n') aiderions (pas) les personnes. Nous (ne) partirions (pas). Nous (ne) téléphonerions (pas) à la police.

3. Mon meilleur ami est invité à la Maison Blanche. (accepter l'invitation? être un peu nerveux? demander l'autographe du Président?)
   Il (n') accepterait (pas) l'invitation. Il serait un peu nerveux (ne serait pas nerveux).
   Il (ne) demanderait (pas) l'autographe du Président.

4. Mes parents gagnent 100 000 dollars à la loterie. (acheter une nouvelle maison? mettre tout l'argent à la banque? donner l'argent à leurs enfants?)
   Ils achèteraient une nouvelle maison (n'achèteraient pas de nouvelle maison).
   Ils (ne) mettraient (pas) tout l'argent à la banque. Ils (ne) donneraient (pas) l'argent à leurs enfants.

C 4. Les bonnes manières

Vous parlez à des amis français. Exprimez-vous poliment en utilisant LE CONDITIONNEL des verbes entre parenthèses.

1. (vouloir) Je voudrais te parler.
   Nous voudrions vous inviter.
2. (pouvoir) Est-ce que tu pourrais me téléphoner ce soir?
   Est-ce que vous pourriez passer chez moi?
3. (devoir) Tu devrais être plus patient!
   Vous ne devriez pas être égoïstes!
4. (aimer) J' aimerais vous dire quelque chose.
   Mes amis aimeraient faire votre connaissance.

URB p. 114

D 5. Si . . . (sample answers)

Dites ce que vous feriez dans les conditions suivantes. Utilisez votre imagination.

▶ avoir 50 dollars?

Si j'avais cinquante dollars, j'achèterais une nouvelle montre.

J'inviterais mes copains dans un bon restaurant.

1. avoir 100 dollars?

   Si j'avais 100 dollars, je m'achèterais des nouveaux vêtements.

2. avoir 1 000 dollars?

   Si j'avais 1 000 dollars, je voyagerais à l'étranger.

3. avoir une voiture?

   Si j'avais une voiture, j'irais plus souvent à la campagne.

4. aller en France cet été?

   Si j'allais en France cet été, je visiterais le Louvre.

5. être un extraterrestre?

   Si j'étais un extraterrestre, je visiterais les étoiles.

6. Communication (sample answers)

A. L'orage (*The storm*)

Imaginez qu'il y a un grand orage aujourd'hui. Décrivez quatre choses que vous feriez et quatre choses que vous ne feriez pas.

OUI	NON
• Je fermerais toutes les fenêtres.	• Je ne parlerais pas au téléphone.
• Je mettrais ma bicyclette dans le garage.	• Je n'allumerais pas la télé.
• Je fermerais la porte du garage.	• Je n'ouvrirais pas la fenêtre.
• Je chercherais la lampe de poche.	• Je ne resterais pas dehors.

URB p. 115

Nom ____________________

Classe ______________ Date ______________

B. Le grand prix (sample answer)

Vous avez acheté un billet de la loterie du Club Français. Le grand prix est un voyage dans une région ou un pays de votre choix. (Si c'est nécessaire, utilisez une feuille de papier séparée.)

- Dites où vous iriez.
- Dites quatre choses que vous feriez là-bas.

Si je gagnais le prix, j'irais à San Francisco. J'irais voir le pont Golden Gate et je visiterais les jardins japonais. Je mangerais du poisson dans un bon restaurant près de la mer. J'irais à l'opéra.

C. Situations (sample answer)

Choisissez une des situations suivantes et dites ce que vous feriez dans cette situation. Si c'est nécessaire, utilisez une feuille de papier séparée.

- si vous trouviez un trésor *(treasure)*
- si vous étiez perdu(e) sur une île déserte
- si vous étiez dans une maison hantée
- si vous viviez en l'an 3000
- si vous étiez un acteur / une actrice célèbre *(famous)*

Si je trouvais un trésor, je donnerais de l'argent à mes parents et à mes amis. J'achèterais une nouvelle maison et une belle voiture et je voyagerais autour du monde.

URB
p. 116

Nom ______________________________

Classe ______________________ Date ______________

Discovering FRENCH Nouveau!

BLANC

LEÇON 32 À la gare

A

Activité 1 Quand nous étions petits . . .

Mettez un cercle autour du verbe qui est à l'imparfait.

1. *J'allais* / *J'irais* à l'école à pied.
2. Le vendredi soir, nous *mangeons* / *mangions* des spaghetti.
3. Le samedi, mon père *irait* / *allait* faire les courses.
4. Ma mère *préparerait* / *préparait* les repas.
5. L'hiver, mes frères *font* / *faisaient* beaucoup de ski.

Activité 2 Dialogues

Mettez un cercle autour des *cinq* verbes qui sont au conditionnel.

1. —Il faudrait partir maintenant.

   —Mais si on part maintenant, on arrivera trop tôt.
2. —Est-ce que tu voudrais venir faire du camping avec nous?

   —S'il ne faisait pas froid, je viendrais volontiers.
3. —Tu devrais finir tes devoirs avant de sortir au cinéma.

   —Mais je n'aurais pas le temps de m'amuser!

Activité 3 Si nous étions riches . . .

Faites des phrases qui commencent par **Si nous étions riches . . .**, en mettant les expressions entre parenthèses au conditionnel.

1. (faire des achats) tu ferais des achats.
2. (voyager) je voyagerais.
3. (acheter un scooter) ils achèteraient un scooter.
4. (aller à Acapulco) elle irait à Acapulco.
5.  (être content) nous serions contents.

URB p. 117

Nom _______________ Discovering FRENCH Nouveau!

Classe _______________ Date _______________

BLANC

B

Activité 1 L'intrus

Mettez un cercle autour du verbe qui n'est pas à l'imparfait.

1. (vais)	allais	allions	5. voyions	voyiez	(voient)
2. prenions	prenaient	(prendrais)	6. (réussissons)	réussissait	réussissiez
3. voyageions	(voyageons)	voyageaient	7. perdais	(perdent)	perdiez
4. faisiez	(faites)	faisait	8. étais	(est)	étaient

Activité 2 Si . . .

Choisissez la fin de chaque phrase.

1. Si je t'invitais au concert,
   a. est-ce que tu viendras avec moi?
   (b.) est-ce que tu viendrais avec moi?
2. Si quelqu'un me donnait cent dollars,
   (a.) je serais contente.
   b. je serai contente.
3. S'il pleut,
   (a.) nous ne ferons pas de camping.
   b. nous ne ferions pas de camping.
4. Si vous n'aviez pas de manteau en hiver,
   (a.) vous auriez froid.
   b. vous aurez froid.
5. S'ils avaient une bonne note à l'examen,
   a. ils seront contents.
   (b.) ils seraient contents.

Activité 3 Conditions

Complétez les phrases suivantes en utilisant l'imparfait ou le conditionnel, et en vous servant des illustrations.

1. Si j'avais un ordinateur, je t'enverrais des mails.

2. Si on prenait le train, on serait à Paris en cinq heures.

3. S'il faisait beau, on ferait un pique-nique.

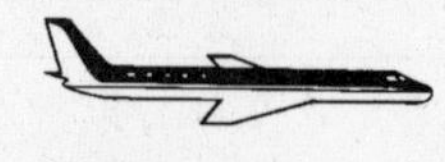

4. Si j'avais assez d'argent, je prendrais l'avion.

5. Si nous étions en vacances, nous ferions un pique-nique.

URB p. 118

Nom ______________________

Classe ______________ Date ______________

C

Activité 1 Quand j'étais petit(e) . . .

Complétez les phrases à l'imparfait.

1. Nous allions à la plage en été.
2. J'écrivais à mes grands-parents le dimanche.
3. Mes soeurs jouaient au tennis.
4. Nous faisions de l'escalade au printemps.
5. Nous voyagions en février.

Activité 2 Si . . .

Faites des phrases complètes au conditionnel avec les éléments donnés.

(avoir du temps) (nager) 1. Si Luc avait du temps, il nagerait.

(finir ses devoirs) (voir un film) 2. Si Mélanie finissait ses devoirs, elle verrait un film.

(acheter des CD) (lesquels choisir) 3. Si tu achetais des CD, lesquels choisirais-tu?

(pouvoir) (venir avec vous) 4. Si je le pouvais, je viendrais avec vous.

Activité 3 Formules de politesse

Transformez chaque phrase en utilisant le conditionnel de politesse.

1. Je veux des CD. — Je voudrais des CD.
2. Nous devons partir. — Nous devrions partir.
3. Pouvez-vous fermer la fenêtre? — Pourriez-vous fermer la fenêtre?
4. Nous voulons deux cafés. — Nous voudrions deux cafés.
5. Ils doivent se dépêcher. — Ils devraient se dépêcher.

URB p. 119

BLANC

LEÇON 32 À la gare, page 462

Objectives

Communicative Functions and Topics
To talk about the past
To talk about what one would do under certain conditions
To express polite requests
To talk about hypothetical situations
To read for pleasure and to develop logical thinking

Linguistic Goals
To review the imperfect tense
To use the conditional tense
To use the conditional with ***si***-clauses

Cultural Goals
To compare French and American train stations

Motivation and Focus

- ❑ Ask students to preview the photos on pages 462–463. Where are Pierre and Armelle? Who are they waiting for? Do they get on the train? Why not? Students can compare the French train station to American train stations.

Presentation and Explanation

- ❑ *Vidéo-scène:* Do **Video Activities** Activity 1, page 133, to review facts about Switzerland. Play **Video** 2 or **DVD** 2, Counter 43:59–47:34 or **Audio** CD 5, Track 9, or read aloud the *Vidéo-scène*, pages 462–463. Have students read and summarize the scene.
- ❑ *Grammar A:* Review the imperfect, page 464, with the WARM-UP activity, page 464 of the TE, and **Overhead Transparency** 49.
- ❑ *Grammar B:* Introduce the conditional, page 465. Explain use of the future stem and conditional endings using the grammar box on page 465. Model the examples for students to repeat.
- ❑ *Grammar C* and *D:* Present use of the conditional to make polite requests and to talk about hypothetical situations, pages 466–467. Model the examples and have students repeat. Explain the verb tenses used in each of the clauses at the top of page 467.

Guided Practice and Checking Understanding

- ❑ Using **Overhead Transparency** 65 and the Description on page A156, have students practice talking about what would happen with the conditional tense.
- ❑ To check understanding, use **Audio** CD 13, Tracks 13–18 or the **Audioscript** with **Workbook** Listening/Speaking Activities A–F, pages 285–286.
- ❑ Play the **Video** or read the **Videoscript** and have students do **Video Activities** 2–7, pages 134–137.

Independent Practice

- ❑ Model the activities on pages 464–467. Assign 1, 3, and 6 as homework. Do 4 in pairs and 5 in small groups. Do Activity 2 as GROUP PRACTICE.
- ❑ Use **Video Activities** page 138 or **Communipak** *Interviews* 2, 5, and 6, *Tu as la parole* 2, *Conversation* 8, or *Échanges* 1 and 3 (pages 148–159) for oral pair practice.
- ❑ Have students do any appropriate activities in **Activités pour tous**, pages 173–175.

Monitoring and Adjusting

- ❑ Assign Writing Activities 1–6 in the **Workbook**, pages 287–290.
- ❑ Monitor students as they work on the practice activities. Refer them to the appropriate grammar sections, pages 464–467. Explain the LANGUAGE NOTES on pages 465 and 467 of the TE.

End-of-Lesson Activities

- ❑ *À votre tour!:* Have groups discuss what they would do individually and collectively with prize money in Activity 1, page 467. Model answers to the activity with **Audio** CD 5, Track 10.

Review

- ❑ Have students review the information they learned in this unit by completing the **Tests de contrôle** activities on pages 470–471. Encourage students to use the page references in the **Review . . .** tabs to verify/clarify grammar and vocabulary.

Reteaching

- ❑ Redo any appropriate activities from the **Workbook**. Use the Personalization and Variation suggestions for Activities 1, 2, 4, and 6 on pages 464–467 of the TE.
- ❑ Assign the **Video** for students who need more review or make-up work.

Assessment

- ❑ After students have completed all of the lesson's activities, administer Quiz 32 on pages 145–146. Use the **Test Generator** to adapt questions to your class's needs. Administer Unit Test 8 (Form A or B) on pages 183–192 of **Unit Resources**. For assessment of specific language skills, use the **Performance Tests** for the unit.

Extension and Enrichment

- ❑ Students can choose their own way through the story in *Interlude* 8, pages 474–489. Use the TEACHING STRATEGIES, page 474 of the TE. Invite students to tell about the itineraries that they followed in the story. Do **Workbook** page 300.

Summary and Closure

- ❑ Have pairs of students use **Overhead Transparency** S17 and the activities on page A30 to prepare conversations about hypothetical travel plans, using the conditional. As they present the role plays, have other students summarize the linguistic and communicative goals of the lesson.
- ❑ Do PORTFOLIO ASSESSMENT on page 467 of the TE.

End-of-Unit Activities

- ❑ *Lecture:* Help students predict the content of the *Lecture,* pages 468–469, with the PRE-READING ACTIVITY, page 468 of the TE. Select a TEACHING STRATEGY that fits students' needs. After students read and choose responses, do the POST-READING ACTIVITY, page 469 of the TE. Use the OBSERVATION and CHALLENGE ACTIVITIES to call attention to the use of the conditional and to have students create similar situations.
- ❑ *Interlude 8:* Preview the reading selection by looking through pages 474–489. Read and discuss *Avant de lire,* page 474; discuss similar books students have read in English. Use TEACHING STRATEGIES, page 474 of the TE, to read the story. Have students record their itineraries. Use *L'art de la lecture,* page 489, to point out false cognates. Use **Workbook** pages 298–300 to practice reading skills and to review *Interlude* 8.

LEÇON 32 À la gare, page 462

Block Scheduling (4 Days to Complete, Including Unit Test)

Objectives

Communicative Functions and Topics	To talk about the past To talk about what one would do under certain conditions To express polite requests To talk about hypothetical situations To read for pleasure and to develop logical thinking
Linguistic Goals	To review the imperfect tense To use the conditional tense To use the conditional with ***si***- clauses
Cultural Goals	To compare French and American train stations

Block Schedule

Peer Teaching Divide the class into pairs in which one student teaches/reviews a concept they understand well with their partner. Take turns and/or switch pairs as needed. ■

Day 1

Motivation and Focus

- ❑ Ask students to preview the photos on pages 462–463. Where are Pierre and Armelle? Who are they waiting for? Do they get on the train? Why not? Students can compare the French train station to American train stations.

Presentation and Explanation

- ❑ *Vidéo-scène:* Do **Video Activities** Activity 1, page 133, to review facts about Switzerland. Play **Video** 2 or **DVD** 2, Counter 43:59–47:34 or **Audio** CD 5, Track 9, or read aloud the *Vidéo-scène*, pages 462–463. Have students read and summarize the scene.
- ❑ *Grammar A:* Review the imperfect, page 464, with the WARM-UP activity, page 464 of the TE, and **Overhead Transparency** 49.
- ❑ *Grammar B:* Introduce the conditional, page 465. Explain use of the future stem and conditional endings using the grammar box on page 465. Model the examples for students to repeat.
- ❑ *Grammar C* and *D:* Present use of the conditional to make polite requests and to talk about hypothetical situations, pages 466–467. Model the examples and have students repeat. Explain the verb tenses used in each of the clauses at the top of page 467.

Guided Practice and Checking Understanding

- ❑ Using **Overhead Transparency** 65 and the Description on page A156, have students practice talking about what would happen with the conditional tense.
- ❑ To check understanding, use **Audio** CD 13, Tracks 13–18 or the **Audioscript** with **Workbook** Listening/Speaking Activities A–F, pages 285–286.

Independent Practice

- ❑ Model the activities on pages 464–467. Assign Activities 1, 3, and 6 as individual written work. Do 4 in pairs and 5 in small groups. Do Activity 2 as GROUP PRACTICE.
- ❑ Use **Video Activities** page 138 or **Communipak** *Interviews* 2, 5, and 6, *Tu as la parole* 2, *Conversation* 8, or *Échanges* 1 and 3 (pages 152–159) for oral pair practice.
- ❑ Have students do any appropriate activities in **Activités pour tous**, pages 173–175.

Day 2

Monitoring and Adjusting

- ❑ Do Writing Activities 1–6 in the **Workbook**, pages 287–290, as a class. Refer students to the appropriate grammar sections, pages 464–467. Explain the LANGUAGE NOTES on pages 465 and 467 of the TE.

End-of-Lesson Activities

- ❑ *À votre tour!*: Have groups discuss what they would do individually and collectively with prize money in Activity 1, page 467. Model answers to the activity with **Audio** CD 5, Track 10.

Review

- ❑ Have students review the information they learned in this unit by completing the **Tests de contrôle** activities on pages 470–471. Encourage students to use the page references in the **Review . . .** tabs to verify/clarify grammar and vocabulary.

Reteaching (as needed)

- ❑ Redo any appropriate activities from the **Workbook**. Use the PERSONALIZATION and VARIATION suggestions for Activities 1, 2, 4, and 6 on pages 432–435 of the TE.

Day 3

Extension and Enrichment (as desired)

- ❑ Use **Block Scheduling Copymasters**, pages 257–264.
- ❑ Students may wish to read and complete the Reading and Culture Activities on pages 292–299 of the **Workbook**.
- ❑ Students can choose their own way through the story in *Interlude* 8, pages 474–489. Use the TEACHING STRATEGIES, page 474 of the TE. Invite students to tell about the itineraries that they followed in the story. Do **Workbook** page 300.

Summary and Closure

- ❑ Have pairs of students use **Overhead Transparency** S17 and the activities on page A30 to prepare conversations about hypothetical travel plans, using the conditional. As they present the role plays, have other students summarize the linguistic and communicative goals of the lesson.
- ❑ Do PORTFOLIO ASSESSMENT on page 467 of the TE.

Assessment

- ❑ After students have completed all of the lesson's activities, administer Quiz 32 on pages 145–146. Use the **Test Generator** to adapt questions to your class's needs.

Day 4

End-of-Unit Activities

❑ *Lecture:* Help students predict the content of the *Lecture*, pages 468–469, with the PRE-READING ACTIVITY, page 468 of the TE. Select a TEACHING STRATEGY that fits students' needs. Use the OBSERVATION to call attention to the use of the conditional.

Reteaching (as needed)

❑ Assign the **Video** for students who need more review or make-up work.
❑ Use **Overhead Transparencies** 60–65 to review vocabulary and grammar from Unit 8.
❑ Have students do the Block Schedule Activity at the top of page 122 of these lesson plans.

Assessment

❑ Administer Unit Test 8 (Form A or B) on pages 183–192 of **Unit Resources.** For assessment of specific language skills, use the **Performance Tests** for this unit.

Notes

Nom ______________________________ Discovering FRENCH Nouveau!

Classe ____________________ Date ______________ ______________

BLANC

LEÇON 32 Vidéo-scène: À la gare, pages 462–463

Materials Checklist

- ❑ **Student Text**
- ❑ **Audio** CD 5, Track 19; **Audio** CD 13, Tracks 19–20
- ❑ **Video** 2 or **DVD** 2, Counter 43:59–47:34
- ❑ **Workbook**

Steps to Follow

- ❑ Before you watch the **Video** or **DVD**, or listen to the **CD**, read *Compréhension* (p. 463). This will help you understand what you see and hear.
- ❑ Look at the photos on pages 462–463 while you read the text. Write down any unfamiliar words or expressions. Check meanings. Listen to **Audio** CD 5, Track 9.
- ❑ Watch **Video** 2 or **DVD** 2, Counter 43:59–47:34. Pause and replay if necessary.
- ❑ Do Listening/Speaking Activities, Section 1, Activities A–B in the **Workbook** (p. 285). Use **Audio** CD 13, Tracks 19–20.
- ❑ Answer the questions in *Compréhension* (p. 463).

If You Don't Understand . . .

- ❑ Watch the **Video** or **DVD** in a quiet place. Try to stay focused. If you get lost, stop the **Video** or **DVD**. Replay it and find your place.
- ❑ Listen to the **CDs** in a quiet place. If you get lost, stop the **CDs**. Replay them and find your place. Repeat what you hear. Try to sound like the people on the recording.
- ❑ On a separate sheet of paper, write down new words and expressions. Check meanings.
- ❑ Say aloud anything you write. Make sure you understand everything you say.
- ❑ Write down any questions so that you can ask your partner or your teacher later.

Self Check

Répondez aux questions suivantes.

1. Où est la gare?
2. Est-ce que Pierre et Armelle arrivent à la gare à l'heure?
3. Qui va acheter les billets?
4. Qui voudrait monter dans le train?
5. Qui n'est pas à l'heure?

Answers

1. La gare est à Annecy. 2. Pierre et Armelle arrivent à l'heure. 3. Jérôme va acheter les billets. 4. Armelle voudrait monter dans le train. 5. Jérôme n'est pas à l'heure.

Nom ______________________________________

Classe ____________________ Date ____________________

Discovering FRENCH Nouveau!

BLANC

A. Révision: L'imparfait, page 464

Materials Checklist

- ❑ **Student Text**
- ❑ **Audio** CD 13, Track 21
- ❑ **Workbook**

Steps to Follow

- ❑ Study *Révision: L'imparfait* (p. 464). Review the forms of the imperfect on page 339, Leçon 23.
- ❑ Do Listening/Speaking Activities, Section 2, Activity C in the **Workbook** (p. 285). Use **Audio** CD 13, Track 21.
- ❑ Do Activity 1 in the text (p. 464). Circle the verb in each sentence. Say your answers aloud.

If You Don't Understand . . .

- ❑ Reread activity directions. Put the directions in your own words.
- ❑ Read the model several times. Be sure you understand it.
- ❑ Say aloud everything that you write. Be sure you understand what you are saying.
- ❑ When writing a sentence, ask yourself, "What do I mean? What am I trying to say?"
- ❑ Listen to the **CD** in a quiet place. Try to stay focused. If you get lost, stop the **CD**. Replay it and find your place.
- ❑ Write down any questions so that you can ask your partner or your teacher later.

Self Check

Complétez les phrases suivantes, d'après le modèle.

▶ le matin / nous / faire les courses
Le matin nous faisions les courses.

1. le matin / vous / ranger / votre chambre
2. l'après-midi / il / jouer au tennis
3. le soir / nous / dîner au restaurant
4. le soir / je / danser jusqu'à minuit

Answers

1. Le matin vous rangiez votre chambre. 2. L'après-midi il jouait au tennis. 3. Le soir nous dînions au restaurant. 4. Le soir je dansais jusqu'à minuit.

B. Le conditionnel: formation, page 465

C. Le conditionnel de politesse, page 466

Materials Checklist

- ❑ **Student Text**
- ❑ **Workbook**
- ❑ **Audio** CD 13, Tracks 22–23

Steps to Follow

- ❑ Study *Le conditionnel: formation* (p. 465). Write the conditional of **avoir** and **être**. Say the model sentences aloud.
- ❑ Do Activity 2 in the text (p. 465). Write each dialogue in complete sentences. Say the dialogues aloud.
- ❑ Do Activities 3 and 4 in the text (p. 466). Write the answers and circle the verb in each answer. Read your answers aloud.
- ❑ Study *Le conditionnel de politesse* (p. 466). Read the model sentences aloud.
- ❑ Do Listening/Speaking Activities Section 2, Activities D–E in the **Workbook** (p. 286). Use **Audio** CD 13, Tracks 22–23.
- ❑ Do Activity 5 in the text (p. 466). Circle the verb in each sentence. Check endings.
- ❑ Do Writing Activities B 1–3, C 4 in the **Workbook** (pp. 287–288).

If You Don't Understand . . .

- ❑ Reread activity directions. Put the directions in your own words.
- ❑ Read the model several times. Be sure you understand it.
- ❑ Say aloud everything that you write. Be sure you understand what you are saying.
- ❑ When writing a sentence, ask yourself, "What do I mean? What am I trying to say?"
- ❑ Listen to the **CD** in a quiet place. Try to stay focused. If you get lost, stop the **CD**. Replay it and find your place.
- ❑ Write down any questions so that you can ask your partner or your teacher later.

Self Check

Les personnes suivantes imaginent un voyage en France. Que feraient-ils là-bas? Faites des phrases complètes d'après le modèle.

▶ je / aller / à Paris
J'irais à Paris.

1. nous / visiter / le Louvre
2. vous / dîner / à la Tour d'Argent
3. tu / faire / un tour sur la Seine / dans un bateau-mouche
4. il / voir / des expositions au Grand Palais
5. elles / passer / deux semaines / sur la Côte d'Azur

Answers

1. Nous visiterions le Louvre. 2. Vous dîneriez à la Tour d'Argent. 3. Tu ferais un tour sur la Seine dans un bateau-mouche. 4. Il verrait des expositions au Grand Palais. 5. Elles passeraient deux semaines sur la Côte d'Azur.

Nom ______________________________

Classe ______________________ Date ______________

Discovering FRENCH Nouveau!

BLANC

D. Le conditionnel dans les phrases avec *si*, page 467

Materials Checklist

- ❑ **Student Text**
- ❑ **Audio** CD 5, Track 10; **Audio** CD 13, Track 24
- ❑ **Workbook**

Steps to Follow

- ❑ Study *Le conditionnel dans les phrases avec* ***si*** (p. 467). Copy the model sentences. Circle the verb in the ***si***-clause; underline the verb in the main clause. Say the sentences aloud.
- ❑ Do Listening/Speaking Activities, Section 2, Activity F in the **Workbook** (p. 286). Use **Audio** CD 13, Track 24.
- ❑ Do Activity 6 in the text (p. 467).
- ❑ Do Writing Activities D 5 and 6 in the **Workbook** (p. 289).
- ❑ Do Activity 1 of *À votre tour!* in the text (p. 467). Use **Audio** CD 5, Track 10.

If You Don't Understand . . .

- ❑ Reread activity directions. Put the directions in your own words.
- ❑ Read the model several times. Be sure you understand it.
- ❑ Say aloud everything that you write. Be sure you understand what you are saying.
- ❑ When writing a sentence, ask yourself, "What do I mean? What am I trying to say?"
- ❑ Listen to the **CDs** in a quiet place. Try to stay focused. If you get lost, stop the **CDs**. Replay them and find your place.
- ❑ Write down any questions so that you can ask your partner or your teacher later.

Self Check

Faites des phrases complètes avec les éléments suivants, d'après le modèle.

▶ si / Jean / être / à Paris / visiter / le Louvre
Si Jean était à Paris, il visiterait le Louvre.

1. si / je / savoir / la réponse / vous / la dire
2. si / vous / venir / nous / faire / un tour du lac
3. si / nous / être / au restaurant / nous / voir / nos amis
4. si / tu / voir / ce film / tu / t'amuser
5. si / elle / étudier plus fort / elle / réussir

Answers

1. Si je savais la réponse, je vous la dirais. 2. Si vous veniez, nous ferions un tour du lac.
3. Si nous étions au restaurant, nous verrions nos amis. 4. Si tu voyais ce film, tu t'amuserais.
5. Si elle étudiait plus fort, elle réussirait.

Nom ____

Classe ______________________ Date ______________ ______________

LEÇON 32 À la gare

Le temps

Interview a family member. Find out what he or she would do if he or she had the time. Choose from among the possibilities listed below.

- First, explain your assignment.
- Next, help the family member pronounce the words. Model the pronunciation as you point to each picture. Give English equivalents if necessary.
- Then, ask the question, **Si tu avais le temps, que ferais-tu?**
- When you have an answer, complete the sentence below.

Si j'avais le temps . . .

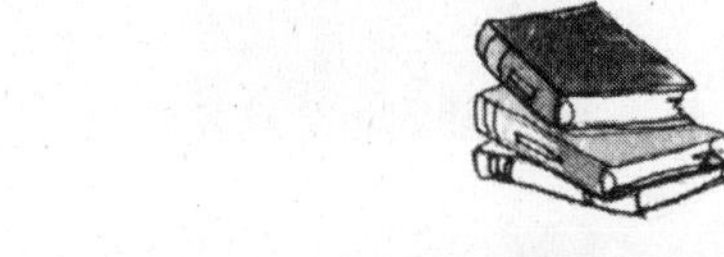

je lirais

je regarderais des films

je dormirais

je me promenerais tous les jours

Si ____________________ **avait le temps,** ________________________________

____.

Nom ______________________________

Classe ____________________ Date ______________

À Paris

Ask a family member to imagine that he or she is in Paris. Find out what activity he or she would most like to do.

- First, explain your assignment.
- Next, help the family member pronounce the words. Model the pronunciation as you point to each picture.
- Then, ask the question, **Que ferais-tu si tu étais à Paris?**
- When you have an answer, complete the sentence at the bottom of the page.

Si j'étais à Paris . . .

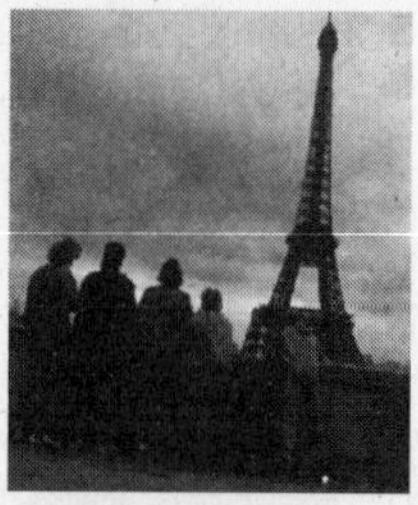

je monterais à la Tour Eiffel

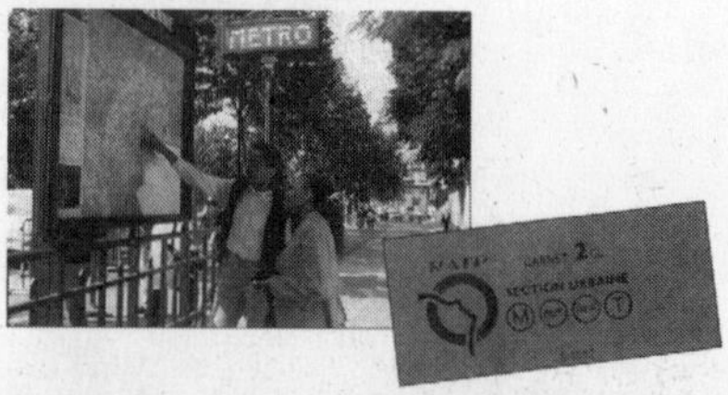

je prendrais le métro

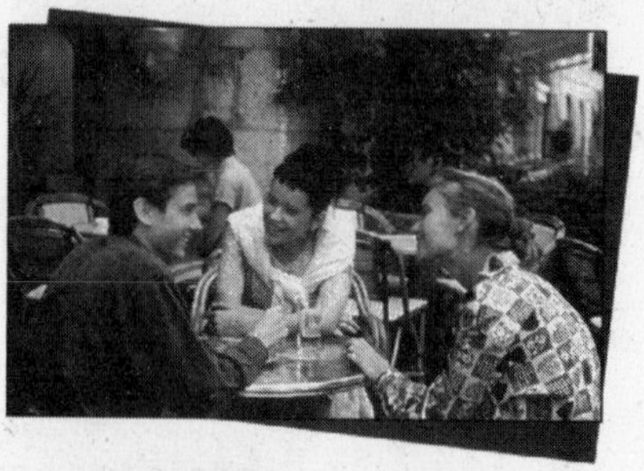

je me reposerais au café

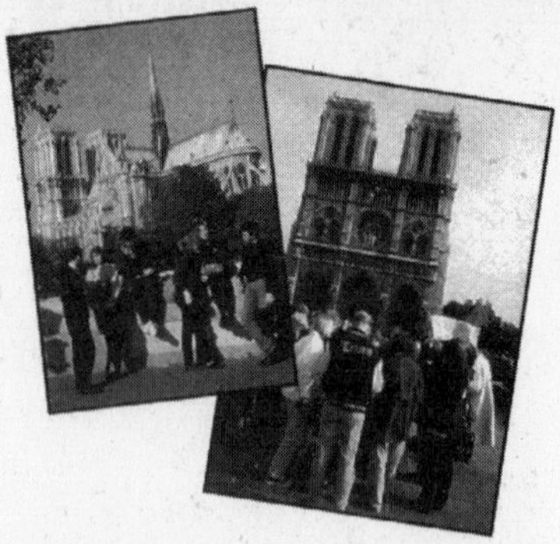

je verrais la cathédrale de Notre Dame

Si ____________________ **était à Paris,** ______________________________

____.

URB
p. 130

LEÇON 32 À la gare

Cultural Commentary

- The Swiss flag consists of a white cross on a red background. (Reflecting its origin, the flag of the International Red Cross is a reverse version of the national flag.)
- **Genève** (pop. 160,645; met. area 460,000) is the third largest city in Switzerland and is the capital of the canton of the same name. The city is the birthplace of philosopher **Jean-Jacques Rousseau**.
- Flowing out of **lac Léman**, the Rhone river divides Geneva into two sections: the old section to the south of the river and the newer section to the north. Landmarks in the old part include **la Cathédrale St-Pierre** (tenth century) and the **Université de Genève**, founded in 1559 by **Jean Calvin**, a leader of the Protestant Reformation. The newer area features **le Palais des Nations**, which served as headquarters of the League of Nations **(la Société des Nations)** from 1920 to 1946. The palace now houses the European headquarters of the UN **(ONU = Organisation des Nations Unies)**.
- Because of its political neutrality, Geneva is the seat of many international organizations: the International Labor Organization, the Red Cross (**la Croix Rouge**, founded by Swiss **Henri Dunant**), and the World Council of Churches.
- The multinational flavor of the city has facilitated Geneva's rise as an international banking center. Several banks pictured in the video are: **Société de Banque Suisse, Caisse d'épargne**, and **Banque Scandinave en Suisse**.
- As the video narration points out, Geneva's products include expensive clocks, watches, and jewelry.
- The **SNCF (Société nationale des chemins de fer français)** is the government owned and operated railway system. The rail network forms a cobweb pattern with Paris as the hub of activity.
- The large "2" on the side of the approaching train cars indicates **seconde classe** as opposed to "1" **première classe**.
- In 1981, the bright orange **TGV (train à grande vitesse)** began operation. It can attain speeds of 167 miles/269 km per hour. Although a national line, the **TGV** also links Paris to several cities in Switzerland. In 1989, a faster **TGV** reaching a top speed of 187 miles/300 km per hour began service between Paris and cities in southern and western France. It is the world's fastest passenger train.
- Places to the left on the train signs are stops along the way. The «**eaux vives**» designation to the right means that the train has running water.
- After purchasing their tickets at the **guichet**, passengers must punch **(composter)** their ticket on the platform by inserting it into a machine. This special device punches a small hole and prints a numbered code on the ticket that can only be interpreted by employees of the **SNCF**. Once on the train, **le contrôleur** provides a random security check to validate that tickets have been properly stamped. If the ticket has not been stamped, the passenger must pay a fine **(une amende)**.
- It is extremely dangerous to attempt to board (or get off) a moving train.

URB p. 131

BLANC

Grammar Correlation

B Le conditionnel: formation (Student text, p. 465)

Armelle: Moi, j'**aimerais** faire le tour du lac en bateau. (Leçon 31)
On **expliquerait** la situation au contrôleur.
Pierre: Il nous **donnerait** une amende!
Jérôme a dit qu'il les **achèterait.**

D Le conditionnel dans les phrases avec *si* (Student text, p. 467)

Armelle: Si on **montait** dans le train?!
Pierre: Qu'est-ce qu'on **ferait** si on **était** contrôlé?

Nom ______________________________

Classe ______________________ Date ______________

Discovering FRENCH Nouveau!

BLANC

LEÇON 32 À la gare

Video 2, DVD 2

Activité 1. Aperçu culturel . . . de la Suisse!

Before Jérôme, Pierre, and Armelle leave for Geneva, let's find out about the country they will visit. Open your textbook to page 89 and fill out the fact sheet below on Switzerland (in French!).

La Suisse

1. Nom officiel: ______________________________

2. Population: ______________________________

3. Gouvernement: ______________________________

4. Langues nationales: ______________________________

____

5. Le français de Suisse: ______________________________

____

6. Relief (topography): ______________________________

____

7. Deux Suisses célèbres: ______________________________

____

8. Genève: ______________________________

____

Nom ______________________________

Classe ____________________ Date ______________

Discovering FRENCH *Nouveau!*

BLANC

Activité 2. Genève

Counter 44:07–45:03

What is Geneva like? While Claire shows you some of the main sights of the city, number the photos below from 1 to 8 as they are mentioned.

a.

b.

c.

d.

e.

f.

g.

h.

Activité 3. Les photos de Genève

When you finish watching the video, return to this activity. Choosing from the items in the box below, label the photos in Activity 2.

les Alpes et le Jura	**un beau parc**	**le jet d'eau**
la finance	**les grands bâtiments modernes**	**la Vieille Ville**
l'horlogerie	**le lac Leman**	

Nom ______________________________

Classe ______________________ Date ______________

Activité 4. À la gare

Counter 45:04–46:02

What happens at the train station? As you watch the video, complete the sentences below with the letter of the appropriate photo.

a. 

Pierre

b. 

Armelle

c. 

Jérôme

1. _____ est déjà à la gare.
2. _____ a dit qu'il serait à l'heure.
3. _____ arrive à la gare.

Activité 5. Où est Jérôme?

Counter 46:03–47:34

Armelle and Pierre are already at the station but someone is missing! As you watch the video, fill in the missing words in Armelle's lines.

1. —Tu as les ______________________?
2. —Il a aussi dit qu'il serait ici à huit heures ______________________.
3. —Il est huit heures ______________________.
4. —Si on montait dans le ______________________?
5. —Tiens, voilà ______________________.

RAPPEL!

N'oublie pas de retourner à l'Activité 3!

Nom ____

Classe ______________________ Date ______________

BLANC

▶ Tu as remarqué?

Have you noticed that both French and English often put two words together to form a new word? Compare the word order in the two languages:

FRENCH: **un album de photos**

ENGLISH: **a photo album**

Activité 6. En français, s'il te plaît!

Now, write the following words from the video script in French. Be sure to use the French word order!

1. an art museum = ____________________
2. a parasailing champion = ____________________
3. a university friend *(f.)* = ____________________
4. a cowboy hat = ____________________
5. a water jet = ____________________

Question: The English word "jet" comes from the French verb **jeter**. What does the verb mean in English?

Réponse: ____________________

Activité 7. Sur le quai

While waiting on the platform for the train, Pierre and Armelle discuss their predicament. Complete the sentences below by locating the missing conditional verb form in the puzzle. Circle each word you find. (*Note:* The number of letters in the missing words is given in parentheses.)

1. —Jérôme a dit qu'il ___ (6) à l'heure.
2. —Il a dit aussi qu'il ___ (10) les billets.
3. —Qu'est-ce qu'on ___ (6) si on était contrôlé?
4. —On ___ (12) la situation au contrôleur.
5. —Il nous ___ (9) une amende *(fine)*.

D E D N W H L U M G Q B L F
Z V U O L V O Y J G T K W B
E Q E G N A V G M I A K E L
X D Y S S N N N A P Q O X Z
A F X A M J E R S O V Q P L
C O S Z B C E R F L E Z L B
H Q E M A F U H A R G L I R
E P Q S V O I D D I I E Q N
T Q D E L W R L L V T J U X
E S T R A J D V H T U F E C
R C T A R G I U B E O H R V
A J I I H R J B J E R N A N
I F P T M N C T A A S T I J
T P X X G I C L O O L J T P

Nom ______________________________

Classe ______________________ Date ______________

Activité 8. Si j'étais Jérôme . . .

Let's turn back the clock to the day before Pierre, Armelle, and Jérôme were to leave for Geneva. Put yourself in Jérôme's place. Look at the time line and write what <u>you would do</u> at the times indicated in order to catch the train. Use complete sentences, writing the verbs in the *conditional.*

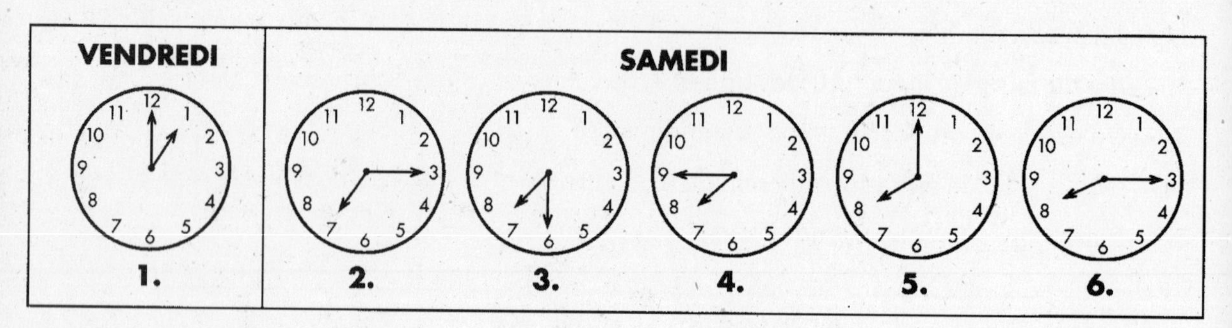

Si j'étais Jérôme,

1. ______________________________
2. ______________________________
3. ______________________________
4. ______________________________
5. ______________________________
6. ______________________________

When you finish, get together with a classmate. Ask what he/she would do at the six times above. Then your partner will ask you the questions. How many of your responses were the same?

TOI:

Si tu étais Jérôme, qu'est-ce que tu ferais vendredi à une heure?

TON/TA CAMARADE:

???

URB
p. 138

LEÇON 32 Vidéo-scène: À la gare

Video 2, DVD 2

43:59–47:34

Counter 44:07–45:03 1. CLAIRE: Dans le module précédent, Armelle, Pierre et Jérôme ont décidé d'aller à Genève samedi.

Située au bord du lac Léman en Suisse, Genève est une ville pittoresque et animée. C'est un centre international de commerce et de tourisme aux pieds des Alpes et du Jura. On y trouve partout des quartiers très anciens comme la vieille ville et de beaux parcs. On conte deux arbres par habitant. Regardez le jet d'eau, 130 mètres de hauteur. Il y a aussi de grands bâtiments modernes. La ville de Genève est bien connue comme capitale de l'horlogerie et de la finance. Les banques suisses sont célèbres, certaines depuis le 13ème siècle.

Counter 45:04–45:14 2. Pour leur voyage à Genève, c'est Jérôme qui prendra les billets. Il a dit qu'il serait à l'heure à la gare.

JÉRÔME: T'en fais pas. Je serai à la gare à huit heures pile avec les billets!

Counter 45:15–46:02 3. CLAIRE: Nous sommes samedi matin à la gare d'Annecy. Armelle est déjà là. . . . Pierre arrive. Regardez et écoutez.

Counter 46:03–46:16 4. ARMELLE: Salut!
PIERRE: Salut!
ARMELLE: Tu as les billets?
PIERRE: Mais non, c'est Jérôme qui les a. Tu sais bien, il a dit qu'il les achèterait.
ARMELLE: Ah oui, c'est vrai! Il a aussi dit qu'il serait ici à huit heures pile.

Counter 46:17–46:56 5. PIERRE: Quelle heure est-il?
ARMELLE: Huit heures cinq.
PIERRE: Zut alors! Mais qu'est-ce qu'il fait?! . . . Le train va partir dans deux minutes.

Counter 46:57–47:07 6. ARMELLE: Si on montait dans le train?!
PIERRE: Mais on n'a pas les billets! Qu'est-ce qu'on ferait si on était contrôlé?
ARMELLE: Eh bien, on expliquerait la situation au contrôleur.
PIERRE: Tu parles! Il nous donnerait une amende!

Counter 47:08–47:34 7. ARMELLE: Tiens, voilà Jérôme.

URB p. 139

LEÇON 32 À la gare

PE AUDIO

CD 5, Track 9

Vidéo-scène, p. 462

CLAIRE: Dans le module précédent, Armelle, Pierre et Jérôme ont décidé d'aller à Genève samedi. C'est Jérôme qui prendra les billets. Il a dit qu'il serait à l'heure à la gare.
Nous sommes samedi matin à la gare d'Annecy.
est déjà là. Pierre arrive.

ARMELLE: Salut!

PIERRE: Salut!

ARMELLE: Tu as les billets?

PIERRE: Mais non, c'est Jérôme qui les a. Tu sais bien, il a dit qu'il les achèterait.

ARMELLE: Ah oui, c'est vrai! Il a aussi dit qu'il serait ici à huit heures pile.

PIERRE: Quelle heure est-il?

ARMELLE: Huit heures cinq.

PIERRE: Zut alors! Mais qu'est-ce qu'il fait??!! Le train va partir dans deux minutes.

ARMELLE: Si on montait dans le train?!

PIERRE: Mais on n'a pas les billets! Qu'est-ce qu'on ferait si on était contrôlé?

ARMELLE: Eh bien, on expliquerait la situation au contrôleur.

PIERRE: Tu parles! Il nous donnerait une amende!

ARMELLE: Tiens, voilà Jérôme.

CLAIRE: Finalement, Jérôme arrive. Il retrouve ses amis. Mais il est trop tard . . . Le train est parti . . . Le voyage à Genève sera pour une autre fois.

À votre tour!

CD 5, Track 10

1. Discussion: Les billets de tombola, p. 467

Pierre et Armelle parlent de ce qu'ils feraient s'ils gagnaient un prix à la tombola du lycée. Écoutez leur conversation.

PIERRE: Combien de billets de tombola est-ce que tu as acheté?

ARMELLE: J'en ai acheté cinq.

PIERRE: Si tu gagnais le prix de $500, qu'est-ce que tu achèterais?

ARMELLE: Si je le gagnais $500, j'achèterais un VTT. Je ferais des promenades à la campagne tous les week-ends. Et toi, si tu gagnais le prix de $1 000, qu'est-ce que tu achèterais?

PIERRE: Une planche à voile.

ARMELLE: Mais tu ne sais pas en faire . . .

PIERRE: Eh bien, j'apprendrais!

WORKBOOK AUDIO

Section 1. Vidéo-scène

CD 13, Track 19

Activité A. Compréhension générale, p. 462

Allez à la page 462 de votre texte.

CLAIRE: Dans le module précédent, Armelle, Pierre et Jérôme ont décidé d'aller à Genève samedi. C'est Jérôme qui prendra les billets. Il a dit qu'il serait à l'heure à la gare.
Nous sommes samedi matin à la gare d'Annecy.
Armelle est déjà là. Pierre arrive.

ARMELLE: Salut!

PIERRE: Salut!

ARMELLE: Tu as les billets?

PIERRE: Mais non, c'est Jérôme qui les a. Tu sais bien, il a dit qu'il les achèterait.

ARMELLE: Ah oui, c'est vrai! Il a aussi dit qu'il serait ici à huit heures pile.

PIERRE: Quelle heure est-il?

ARMELLE: Huit heures cinq.

PIERRE: Zut alors! Mais qu'est-ce qu'il fait??!! Le train va partir dans deux minutes.

ARMELLE: Si on montait dans le train?!

PIERRE: Mais on n'a pas les billets! Qu'est-ce qu'on ferait si on était contrôlé?

ARMELLE: Eh bien, on expliquerait la situation au contrôleur.

PIERRE: Tu parles! Il nous donnerait une amende!

ARMELLE: Tiens, voilà Jérôme.

CLAIRE: Finalement, Jérôme arrive. Il retrouve ses amis. Mais il est trop tard . . . Le train est parti . . . Le voyage à Genève sera pour une autre fois.

CD 13, Track 20

Activité B. Avez-vous compris?

Maintenant ouvrez votre cahier d'activités. Écoutez bien et indiquez si les phrases suivantes sont vraies ou fausses. Vous allez entendre chaque phrase deux fois. Êtes-vous prêts?

1. La première personne qui arrive à la gare est Armelle. #
2. La deuxième personne qui arrive est Jérôme. #
3. C'est Jérôme qui a les billets. #
4. Pierre et Armelle décident de monter dans le train. #
5. S'ils n'ont pas de billets, le contrôleur leur donnera une amende. #
6. Finalement Jérôme arrive, mais il arrive trop tard. #
7. Le voyage pour Genève est pour une autre fois. #

Maintenant, corrigez vos réponses.

1. La première personne qui arrive à la gare est Armelle. Vrai.
2. La deuxième personne qui arrive est Jérôme. Faux. C'est Pierre.
3. C'est Jérôme qui a les billets. Vrai.
4. Pierre et Armelle décident de monter dans le train. Faux. Ils décident d'attendre Jérôme.
5. S'ils n'ont pas de billets, le contrôleur leur donnera une amende. Vrai.
6. Finalement Jérôme arrive, mais il arrive trop tard. Vrai.
7. Le voyage pour Genève est pour une autre fois. Vrai.

Section 2. Langue et communication

CD 13, Track 21

Activité C. Colonie de vacances

Quand vous étiez plus jeune, vous et vos amis alliez à une colonie de vacances. Armelle vous pose des questions sur vos activités dans cette colonie. Répondez en utilisant les illustrations de votre cahier.

Modèle: Où est-ce que vous dormiez?
On dormait dans des tentes.

1. À quelle heure est-ce que vous vous leviez? #
   On se levait à six heures.
2. À quelle heure est-ce que vous preniez le petit déjeuner? #
   On prenait le petit déjeuner à sept heures.
3. Qu'est-ce que vous faisiez le matin? #
   Le matin, on nageait.
4. Et qu'est-ce que vous faisiez l'après-midi? #
   L'après-midi, on jouait au volleyball.
5. À quelle heure est-ce que vous vous couchiez? #
   On se couchait à dix heures.

CD 13, Track 22

Activité D. Projets

Regardez les illustrations de votre cahier. Écoutez la question et dites ce que chaque personne ferait si elle avait une certaine somme d'argent.

Modèle: Qu'est-ce que M. Laval ferait s'il avait vingt mille dollars?
Avec vingt mille dollars, il achèterait une caravane.

1. Qu'est-ce que Mlle Charron ferait si elle avait deux cents dollars? #
   Avec deux cents dollars, elle achèterait un sac de couchage.
2. Qu'est-ce que Pierre ferait s'il avait quinze dollars? #
   Avec quinze dollars, il achèterait une lampe de poche.
3. Qu'est-ce que Mme Delarue ferait si elle avait trois mille dollars? #
   Avec trois mille dollars, elle irait à Tahiti.
4. Qu'est-ce que Béatrice ferait si elle avait mille cinq cents dollars? #
   Avec mille cinq cents dollars, elle ferait un voyage en Allemagne.
5. Qu'est-ce que Jean-Pierre ferait s'il avait dix dollars? #
   Avec dix dollars, il irait au cinéma.
6. Qu'est-ce que Caroline ferait si elle avait cinquante dollars? #
   Avec cinquante dollars, elle prendrait des leçons de danse.

CD 13, Track 23

Activité E. À la gare

Imaginez que vous êtes à la gare à Lyon et que vous voulez aller à Annecy. Exprimez-vous poliment. Pour cela, modifiez vos phrases en utilisant le conditionnel.

Modèle: Je veux un billet.
Je voudrais un billet.

1. Je veux un aller et retour pour Annecy. #
   Je voudrais un aller et retour pour Annecy.
2. Je veux voyager en seconde classe. #
   Je voudrais voyager en seconde classe.
3. Je veux un billet pour ce soir. #
   Je voudrais un billet pour ce soir.

4. Pouvez-vous m'aider? #
   Pourriez-vous m'aider?
5. Pouvez-vous me dire à quelle heure part le train? #

   Pourriez-vous me dire à quelle heure part le train?
6. Pouvez-vous me dire à quelle heure il arrive à Annecy? #

   Pourriez-vous me dire à quelle heure il arrive à Annecy?

CD 13, Track 24

Activité F. S'ils étaient en vacances . . .

Chacun a des projets différents pour les vacances. Regardez les illustrations et dites ce que chacun ferait s'il était en vacances.

Modèle: Qu'est-ce que Mme Colin ferait, si elle était en vacances?
Elle louerait une villa.

1. Qu'est-ce que Nicolas ferait, s'il était en vacances? #
   Il ferait du camping.
2. Qu'est-ce que M. Duroc ferait s'il était en vacances? #
   Il irait en Espagne.
3. Qu'est-ce que Stéphanie ferait, si elle était en vacances? #
   Elle viendrait aux États-Unis.
4. Qu'est-ce que M. et Mme Bertrand feraient, s'ils étaient en vacances? #
   Ils iraient à la campagne.
5. Qu'est-ce que Marc et Olivier feraient, s'ils étaient en vacances? #
   Ils loueraient une caravane.
6. Qu'est-ce que Corinne et Armelle feraient, si elles étaient en vacances? #
   Elles feraient un voyage en Italie.

LESSON 32 QUIZ

Part I: Listening

CD 22, Track 4

A. Conversations

You will hear a series of short conversations. These conversations are incomplete. Select the most logical CONTINUATION of each conversation and circle the corresponding letter: a, b, or c. You will hear each conversation twice.

Écoutez.

Conversation 1. Catherine et Olivier sont au café.

CATHERINE: Tu as vu le match de foot à la télé hier soir?
OLIVER: Non, je n'étais pas chez moi.
CATHERINE: Où étais-tu?
OLIVER: Chez mon copain Jean-Paul.
CATHERINE: Qu'est-ce que vous faisiez?

Conversation 2. Marc parle à sa soeur Sylvie.

MARC: Dis, Sylvie, est-ce que tu peux m'aider?
SYLVIE: Ça dépend. Qu'est-ce que tu veux?
MARC: Euh . . . est-ce que tu pourrais me prêter vingt euros?

Conversation 3. Pauline téléphone à Julien.

PAULINE: Est-ce que tu peux m'aider avec le problème de maths?
JULIEN: Si je pouvais, je t'aiderais.
PAULINE: Pourquoi est-ce que tu ne peux pas m'aider?

Conversation 4. Sophie rencontre Philippe après la classe d'espagnol.

PHILIPPE: Zut, zut et zut . . .
SOPHIE: Qu'est-ce qu'il y a?
PHILIPPE: Je n'ai pas réussi à l'examen d'espagnol.
SOPHIE: Est-ce que tu as étudié?
PHILIPPE: Euh, non.
SOPHIE: Tu devrais étudier!

Conversation 5. Véronique et Thomas ont acheté des billets pour la tombola de l'école.

VÉRONIQUE: Combien de billets as-tu acheté?
THOMAS: Dix.
VÉRONIQUE: Qu'est-ce que tu ferais, si tu gagnais?
THOMAS: J'achèterais un appareil-photo. Et toi?

Conversation 6. Valérie et Daniel parlent de leur copine Charlotte.

VALÉRIE: Tu sais que Charlotte organise une boum samedi prochain?
DANIEL: Oui, je sais.
VALÉRIE: Est-ce qu'elle va t'inviter?
DANIEL: Oui, j'espère.
VALÉRIE: Et si elle ne t'invitait pas?

Nom ______________________________

Classe ______________________ Date ______________

Discovering FRENCH Nouveau!

BLANC

QUIZ 32

Part I: Listening

A. Conversations (30 points: 5 points each)

You will hear a series of short conversations. These conversations are incomplete. Select the most logical CONTINUATION of each conversation and circle the corresponding letter: a, b, or c.

Conversation 1. Catherine et Olivier sont au café.
Olivier répond:
- a. On écoutait des CD.
- b. Nous regardions le match.
- c. Je suis rentré chez moi à dix heures.

Conversation 2. Marc parle à sa soeur Sylvie.
Sylvie répond:
- a. Oui, merci.
- b. Oui, je t'ai prêté vingt euros.
- c. Je regrette, mais je n'ai pas d'argent.

Conversation 3. Pauline téléphone à Julien.
Julien répond:
- a. Ce n'est pas un problème.
- b. Je suis nul (zero) en maths.
- c. Je ne veux pas t'aider.

Conversation 4. Sophie rencontre Philippe après la classe d'espagnol.
Philippe répond:
- a. J'ai étudié.
- b. Moi, j'ai réussi.
- c. Tu as raison. Je vais étudier pour le prochain examen.

Conversation 5. Véronique et Thomas ont acheté des billets pour la tombola de l'école.
Véronique répond:
- a. J'achèterais une chaîne hi-fi.
- b. Je prendrais des photos.
- c. J'ai acheté cinq billets.

Conversation 6. Valérie et Daniel parlent de leur copine Charlotte.
Daniel répond:
- a. Je serais content.
- b. Je serais vraiment furieux.
- c. Je n'organiserais pas de boum.

Part II: Writing

B. S'il faisait chaud . . . (40 points: 4 points each)

It's winter and the weather is freezing. Say that the following people would do the things they like to do if only it were warmer. Complete each sentence with the conditional form of the verb in italics.

1. Nous aimons *nager*. Nous ______________________ dans le jardin.
2. M. Mercier aime *jouer* au golf. Il ______________________ au golf.
3. Léa aime *travailler* dans le jardin. Elle ______________________.
4. J'aime *prendre* des photos. Je ______________________ des photos.
5. Mes cousins aiment *sortir*. Ils ______________________.
6. Tu aimes *aller* à la piscine. Tu ______________________ à la piscine.

URB
p. 145

Nom ____

Classe ______________________ Date ______________

Discovering FRENCH Nouveau!

BLANC

7. Vous aimez *faire* de la voile. Vous ____________________ de la voile.
8. Nous aimons *voir* nos amis. Nous ____________________ nos amis.
9. J'aime *être* dehors (*outside*). Je ____________________ dehors.
10. Claire aime *se promener*. Elle ____________________.

C. Si . . . (10 points: 2 points each)

Caroline is expressing certain wishes. Complete her sentences with the appropriate option. (Before answering, read each sentence carefully.)

1. (je serais / j'étais) Si ______________ en vacances, je voyagerais.
2. (j'achetais / j'achèterais) Si j'avais de l'argent, ______________ une voiture de sport.
3. (sortais / sortirais) Si je ______________ ce soir, j'irais au ciné.
4. (irions / allions) Si Jean-Christophe me téléphonait, nous ______________ au restaurant.
5. (prêtait / prêterait) Si mon frère était plus généreux, il me ______________ sa voiture.

D. Expression personnelle (20 points: 5 points each)

What would you be doing if you were on vacation? Use the CONDITIONAL to describe . . .

- two (2) things that you (or your friends) would do
- two (2) things that you (or your friends) would not do

UNITÉ 8

Bonnes vacances!

CULTURAL CONTEXT: Oneself and others

FUNCTIONS:

- expressing polite requests
- talking about future plans
- expressing hypotheses: what one would do under certain circumstances

RELATED THEMES:

- train stations and airports
- foreign countries
- camping equipment
- vacation plans: lodging, travel documents, destinations

Communicative Expressions and Thematic Vocabulary

Nom ______________________________

Classe ______________________ Date ______________

Discovering FRENCH Nouveau

BLANC

Interviews

In this section you will be interviewed by different people who want to get to know you better. If you wish, you may write the answers to the interview questions in the space provided.

Interview 1

Parlons de la région où tu habites.

- **Dans quelle région des États-Unis habites-tu? (l'est? l'ouest? le sud? le nord?)**
- **Dans quel état habites-tu?**
- **Quels sont les états voisins** *(neighboring)* **de ton éta**
- **Est-ce que tu as habité dans un autre état? (Si oui, dans quel état?)**

AUX ÉTATS-UNIS

- ______________________
- ______________________
- ______________________
- ______________________

Interview 2

Parlons des voyages à l'étranger.

- **Es-tu déjà allé(e) dans un pays étranger? (Si oui, où et quand?)**
- **Dans quels pays européens aimerais-tu aller?**
- **Dans quel pays francophone** *(French-speaking)* **aimerais-tu passer les vacances?**
- **Quels autres pays aimerais-tu visiter?**

VOYAGES À L'ÉTRANGER

- ______________________
- ______________________
- ______________________
- ______________________

Interview 3

Imaginons que tu aimes bien faire du camping.

- **As-tu un sac de couchage?**
- **Quel autre équipment de camping as-tu?**
- **As-tu déjà fait du camping? (Si oui, où es-tu allé[e] et quand?)**
- **Combien de temps es-tu resté(e)?**

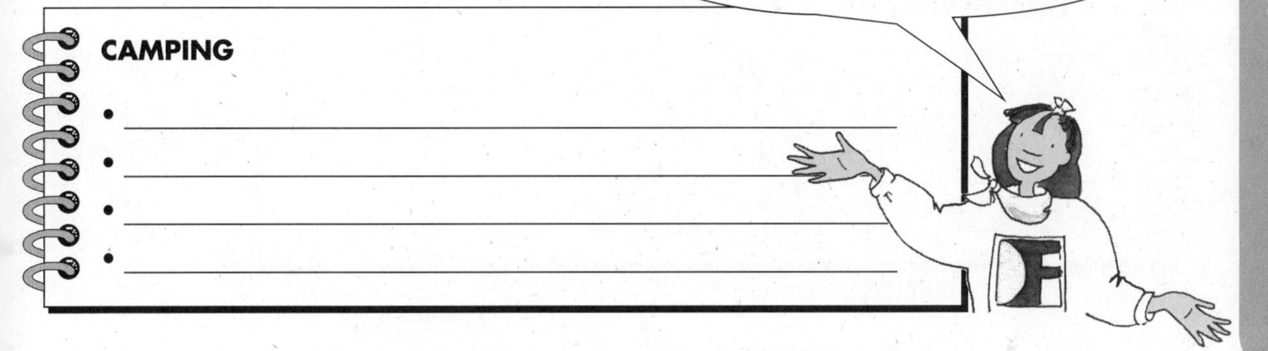

CAMPING

- ______________________________
- ______________________________
- ______________________________
- ______________________________

Interview 4

Parlons d'un voyage que tu as fait.

- **Où es-tu allé(e)?**
- **Comment as-tu voyagé? (en train? en auto? en avion?)**
- **Combien de temps es-tu resté(e) là-bas?**
- **Où es-tu resté(e)? (dans un hôtel? chez des amis?)**

UN VOYAGE

- Destination: ______________________________
- Moyen de transport: ______________________________
- Séjour: ______________________________
- Logement: ______________________________

Nom ______________________________

Classe ____________________ Date ____________

Interview 5

Maintenant, parlons d'un grand voyage que tu aimerais faire l'été prochain.

- **Irais-tu à la mer ou à la montagne?**
- **Resterais-tu aux États-Unis ou ferais-tu un voyage à l'étranger?**
- **Voyagerais-tu en train ou en avion?**
- **Qu'est-ce que tu ferais pendant ce voyage?**

UN GRAND VOYAGE

- ______________________________
- ______________________________
- ______________________________
- ______________________________

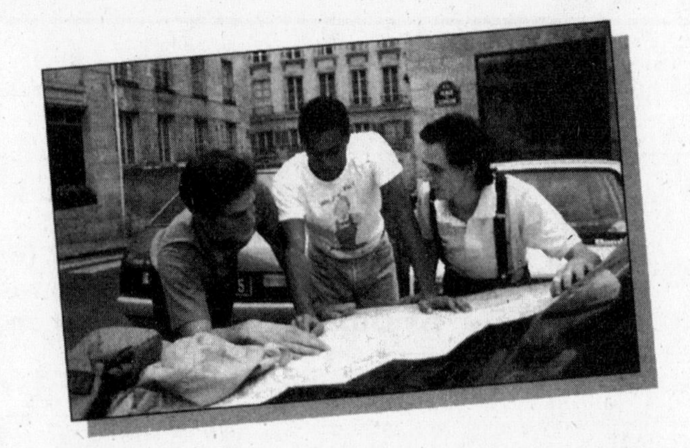

Interview 6

Imagine que tu as la possibilité de faire un voyage en France avec ta famille pendant les vacances. Dis-moi ce que vous feriez.

- **Quelles villes est-ce que vous visiteriez?**
- **Est-ce que vous loueriez une voiture ou est-ce que vous voyageriez en train?**
- **Combien de temps est-ce que vous resteriez en France?**
- **Qu'est-ce que vous feriez pendant le voyage?**

VOYAGE EN FRANCE

- ______________________________
- ______________________________
- ______________________________
- ______________________________

Nom ______________________________ Discovering FRENCH Nouveau!

Classe ______________ Date ______________

BLANC

Interview 7

Parle-moi de tes projets de ce weekend.

- **Où iras-tu samedi après-midi?**
- **Qu'est-ce que tu feras samedi soir?**
- **À quelle heure est-ce que tu te lèveras dimanche?**
- **Qu'est-ce que tu feras dimanche après-midi?**

CE WEEKEND

- Samedi après-midi: ______________________
- Samedi soir: ______________________
- Dimanche matin: ______________________
- Dimanche après-midi: ______________________

Interview 8

Pense à ton existence dans dix ans et réponds à mes questions.

- **Est-ce que tu seras marié(e) ou célibataire?**
- **Habiteras-tu chez tes parents ou loueras-tu un appartement?**
- **Quelle sera ta profession?**
- **Quelle voiture auras-tu?**

DANS DIX ANS

- ______________________
- ______________________
- ______________________
- ______________________

URB p. 151

Nom ______________________________

Classe ____________________ Date ____________________

Tu as la parole

Read the instructions on the cards below and give your partner the corresponding information in French. Take turns reading your cards and listening to each other.

TU AS LA PAROLE 1 — UNITÉ 8

You are in the French Alps visiting some French cousins. You are planning to go on a three-day camping trip together. Name four items that you will need to bring with you. For instance, . . .

- a tent
- a (portable) stove
- sleeping bags
- a frying pan
- backpacks
- a flashlight

TU AS LA PAROLE 2 — UNITÉ 8

This summer you have the opportunity to go to Europe. Look at the following list and name two countries you would like to visit on this trip, and two countries that you are not going to visit.

- Germany
- Switzerland
- Russia
- England
- Spain
- Italy
- Belgium
- Ireland
- France

TU AS LA PAROLE 3 — UNITÉ 8

Your brother is planning to spend a month in Geneva, Switzerland. He has to do quite a few things before he leaves. Remind him . . .

- to buy his plane ticket
- to get a passport (get = **obtiens**)
- to take along a map of the region

TU AS LA PAROLE 4 — UNITÉ 8

You are at Orly Airport in Paris buying a plane ticket to Nice. It is your turn at the ticket counter.

- Say that you want to buy a ticket for Nice.
- Say that you would like a round-trip ticket.
- Say that you are traveling tourist class **(en touriste)**.
- Ask at what time the next plane is leaving.

TU AS LA PAROLE 5 — UNITÉ 8

Your family has decided to go camping in the mountains. Your mother has said you could invite Hélène, a French friend, to come along on the trip. Right now you are phoning Hélène. Use the form **nous** as you tell her that . . .

- you will go to the mountains
- you will be camping
- you will rent a camping trailer
- you will be leaving on *[name a date]* and returning on *[name a return date]*.

TU AS LA PAROLE 6 — UNITÉ 8

Your French pen pal Amélie has just written that she is planning to visit the United States in August and hopes to go to the (**le**) Grand Canyon. You are phoning to get more details on her trip. Ask Amélie . . .

- when she will arrive in *[name a large city near you]*
- when she will come to your house
- if she will travel to the Southwest (**au Sud-ouest**) by train or by plane
- how long she will stay in the United States

Nom ______________________________

Classe ____________________ Date ____________________

Conversations

Read the instructions on the cards below and ask your partner the questions in French. Your partner will play the role of the person in the situation and answer the questions. Take turns asking the questions and answering them.

CONVERSATION 1 **UNITÉ 8**

You are planning a camping trip with your partner.

Ask your partner . . .

- if he/she has a backpack
- if he/she has a sleeping bag
- how many blankets he/she will take
- if he/she will bring a flashlight

CONVERSATION 2 **UNITÉ 8**

For his/her birthday your partner has received a Eurail pass that allows him/her to travel by train all over Europe.

Ask your partner . . .

- if he/she already has a passport
- if he/she will visit France
- if he/she will go to Portugal
- what other **(autres)** countries he/she will visit

CONVERSATION 3 UNITÉ 8

Your partner works in an international news agency as the reporter for Asia.

Ask your partner . . .

- how many times **(combien de fois)** he/she went to Japan
- if he/she has gone to China
- to which other countries he/she has gone

CONVERSATION 4 UNITÉ 8

You are going to meet an exchange student from Switzerland at the airport. Since you do not know the student, you call him/her to get some details.

Ask your partner . . .

- at what time he/she will arrive
- how many suitcases he/she will have
- what clothes he/she will wear
- if he/she bought something for you (and if so, what?)

CONVERSATION 5 UNITÉ 8

Your friend, who studies Spanish, plans to spend the summer in a Spanish-speaking country.

Ask your partner . . .

- if he/she will go to Spain or to Mexico
- how long he/she will stay there
- what he/she will do there
- when he/she will come back **(revenir)**

Nom ______________________________

Classe ____________________ Date ______________

CONVERSATION 6 **UNITÉ 8**

Your partner is going to Canada this summer.

Ask your partner . . .

- if he/she will write to you
- if he/she will phone you
- what he/she will buy for you

CONVERSATION 7 **UNITÉ 8**

Your friend is going to spend a few days in Montreal where he/she has cousins. He/She has an early plane tomorrow morning.

Ask your partner . . .

- at what time he/she will get up
- how he/she will go to the airport **(l'aéroport)**
- at what time he/she will arrive in Montreal
- how long he/she will stay in Canada

CONVERSATION 8 **UNITÉ 8**

You and your partner are dreaming about what you would do if you ever won the lottery.

Ask your partner . . .

- what car he/she would buy
- what he/she would buy for his/her family
- where he/she would go during vacation

Nom ______________________________

Classe ______________________ Date ______________

Discovering FRENCH Nouveau!

BLANC

Échanges

1 Vous travaillez pour une agence de voyages. Faites une enquête sur les pays préférés des jeunes Américains.

- Choisissez cinq camarades et demandez à chacun de nommer un pays préféré pour les régions suivantes:

  —Europe
  —Asie
  —Amérique latine

- Indiquez les réponses dans le tableau.

Alice, dis-moi, quel pays d'Europe est-ce que tu voudrais visiter?

Et quel pays d'Asie?

. . .

DESTINATION	▶ Alice	1	2	3	4	5
• **Europe**	le Portugal					
• **Asie**						
• **Amérique latine**						

- Maintenant, déterminez les pays les plus populaires.

Le pays d'Europe le plus populaire: ______________

Le pays d'Asie le plus populaire: ______________

Le pays d'Amérique latine le plus populaire: ______________

URB
p. 157

Nom ______________________________

Classe ______________________ Date ______________

Échanges

2 En groupe, projetez *(plan)* une excursion pour samedi prochain.

- Formez un groupe de quatre ou cinq personnes. Vous pouvez discuter des sujets suivants:

  —où vous irez
  —comment vous irez là-bas (à vélo, en voiture, en bus)
  —à quelle heure vous partirez
  —où vous déjeunerez
  —ce que vous ferez l'après-midi
  —quand vous reviendrez

- Arrivez à une décision commune.
- Décrivez vos projets d'excursion par écrit.

EXCURSION DE SAMEDI PROCHAIN	
Endroit	
Transport	
Heure de départ	
Activités de l'après-midi	
Heure de retour	

Nom ______________________________

Classe ______________________ Date ______________

Discovering FRENCH Nouveau!

BLANC

Échanges

3 Imaginez que vous avez acheté avec des amis un billet de loterie.

- Formez un groupe de trois ou quatre personnes. Vous avez décidé que si vous gagniez un prix, vous dépenseriez l'argent sur un projet commun.
- En groupe, discutez de ce que vous feriez si vous gagniez les sommes suivantes. (Utilisez le conditionnel dans votre discussion.)
- Indiquez l'opinion de chaque personne dans le tableau.
- Puis, en bas du tableau, indiquez la décision commune.

Moi, je dînerais dans un bon restaurant. Et toi?

LES PARTICIPANTS		LES PRIX	
	100 dollars	1 000 dollars	10 000 dollars
Moi	▶ dîner dans un bon restaurant		
1			
2			
3			
La décision commune			

URB p. 159

Nom ______________________________

Classe ______________________ Date ______________

Élève A

Tête à tête

1 À l'agence de voyages

a

You are a French business person with a heavy travel schedule.

Plan your next trip by completing the checklist below

- **Où?**
  - ❑ Lyon
  - ❑ Genève
  - ❑ Bruxelles
- **Comment?**
  - ❑ train
  - ❑ bus
  - ❑ avion
- **Type de billet?**
  - ❑ aller simple
  - ❑ aller et retour
- **Classe?**
  - ❑ première
  - ❑ touriste
- **Jour de départ?**
  - ❑ lundi
  - ❑ mardi
  - ❑ vendredi

■ Now, phone your travel agent (your partner) to make your reservations.

- **Je m'appelle . . .**
- **Je désire aller à . . .**
- **. . .**

b

You work in a travel agency. A customer phones you to make a reservation.

■ Ask for the necessary information.

- **Comment vous appelez-vous?**
- **Où désirez-vous aller?**
- **Comment voulez-vous voyager?**
- **Quel type de billet désirez-vous?**
- **En quelle classe voulez-vous voyager?**
- **Quel jour voulez-vous partir?**

Fill out the reservation card.

RÉSERVATION	
Nom ▶	
Destination ▶	
Mode de transport ▶	
Type de billet ▶	
Classe ▶	
Jour de départ ▶	

Nom ______________________

Classe ______________________ Date ______________________

Discovering FRENCH Nouveau!

BLANC

Élève B

Tête à tête

1 À l'agence de voyages

a

You work in a travel agency. A customer phones you to make a reservation.

■ Ask for the necessary information.

- **Comment vous appelez-vous?**
- **Où désirez-vous aller?**
- **Comment voulez-vous voyager?**
- **Quel type de billet désirez-vous?**
- **En quelle classe voulez-vous voyager?**
- **Quel jour voulez-vous partir?**

Fill out the reservation card.

RÉSERVATION	
Nom	
Destination	
Mode de transport	
Type de billet	
Classe	
Jour de départ	

b

You are a Canadian tourist who travels often.

Plan your next trip by completing the checklist below

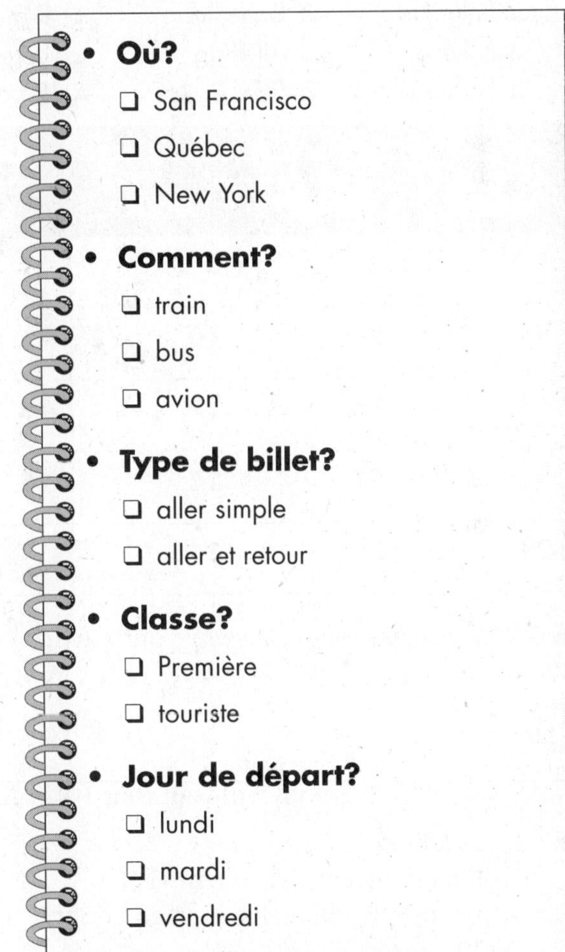

- **Où?**
  - ❑ San Francisco
  - ❑ Québec
  - ❑ New York
- **Comment?**
  - ❑ train
  - ❑ bus
  - ❑ avion
- **Type de billet?**
  - ❑ aller simple
  - ❑ aller et retour
- **Classe?**
  - ❑ Première
  - ❑ touriste
- **Jour de départ?**
  - ❑ lundi
  - ❑ mardi
  - ❑ vendredi

■ Now, phone your travel agent (your partner) to make your reservations.

- **Je m'appelle . . .**
- **Je désire aller à . . .**
- **. . .**

URB p. 161

Nom ______________________________

Classe ____________________ Date ____________________

Tête à tête **Élève A**

2 Voyage à l'étranger

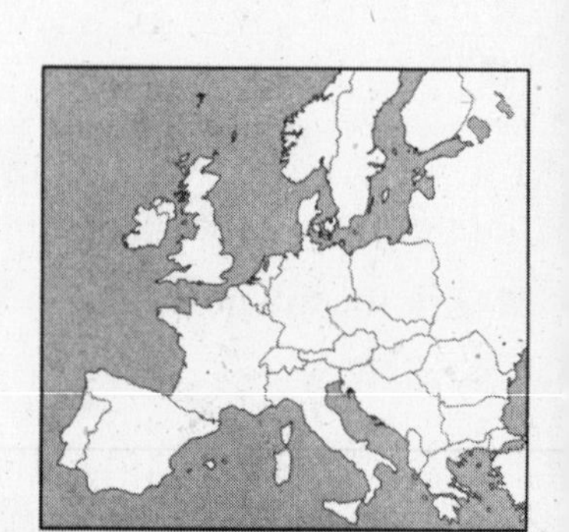

For your birthday your aunt gave you a Eurailpass that allows you to travel around Europe by train for one month.

■ Choose the four countries that you will visit. Write the names of these countries on different dates of the calendar. These are the dates when you will arrive in these countries.

- ❑ Belgique
- ❑ Danemark
- ❑ France
- ❑ Italie
- ❑ Allemagne
- ❑ Luxembourg
- ❑ Portugal
- ❑ Suisse
- ❑ Espagne

JUILLET						
LUN	**MAR**	**MER**	**JEU**	**VEN**	**SAM**	**DIM**
1	2	3	4	5	6	7
8	9	10	11	12	13	14
15	16	17	18	19	20	21
22	23	24	25	26	27	28
29	30	3				

■ When you are ready, answer your partner's questions.

- **Je visiterai . . .**
- **Je serai au/en . . . le . . .**

b

Next August your friend will visit four Latin American countries.

■ Ask him/her . . .
- which countries he/she will visit
- when he/she will arrive in each country

- **Quels pays est-ce que tu visiteras?**
- **Quel-jour seras-tu au/en...?**

 Record the information in the box.

Pays	Date d'arrivée
1.	
2.	
3.	
4.	

Tête à tête

Élève B

2 Voyage à l'étranger

a

Next July your friend will visit four European countries.

■ Ask him/her . . .
- which countries he/she will visit
- when he/she will arrive in each country

- **Quels pays est-ce que tu visiteras?**
- **Quel jour seras-tu au/en . . . ?**

Record the information in the box.

Pays	Date d'arrivée
1.	
2.	
3.	
4.	

b

You have won an airplane ticket that allows you to visit four different Latin American countries in August.

■ Choose the four countries that you will visit. Write the names of these countries on different dates of the calendar. These are the dates when you will arrive in these countries.

- ❑ Brésil
- ❑ Argentine
- ❑ Mexique
- ❑ Vénézuela
- ❑ Colombie
- ❑ Guatémala
- ❑ Pérou
- ❑ Chili
- ❑ Bolivie

AOÛT

LUN	MAR	MER	JEU	VEN	SAM	DIM
			1	2	3	4
5	6	7	8	9	10	11
12	13	14	15	16	17	18
19	20	21	22	23	24	25
26	27	28	29	30	31	

■ When you are ready, answer your partner's questions.

- **Je visiterai . . .**
- **Je serai au/en . . . le . . .**

Nom ______________________________

Classe ______________________ Date ______________

Discovering FRENCH Nouveau!

BLANC

Élève A

Tête à tête

3 Vacances et voyages

a

Plan what you would like to do next summer by checking a box for each item.

- **Aller?**
  - ❑ à la mer
  - ❑ à la campagne
  - ❑ à la montagne
- **Avec qui?**
  - ❑ seul(e)
  - ❑ avec ma famille
  - ❑ avec des copains
- **Résidence?**
  - ❑ rester à l'hôtel
  - ❑ faire du camping
  - ❑ louer une villa
- **Activités?**
  - ❑ de l'escalade
  - ❑ de la planche à voile
  - ❑ des promenades à vélo
- **Durée** *(length of time)***?**
  - ❑ quinze jours
  - ❑ un mois
  - ❑ six semaines
- **Date de retour?**
  - ❑ le 1er août
  - ❑ le 15 août
  - ❑ le 1er septembre

■ When you are ready, answer your partner's questions.

• J'irai à la montagne.

b

Your partner is planning a trip abroad next summer.

■ Ask him/her for some details.

• Dans quel pays est-ce que tu iras?

Record your partner's answers.

- **dans quel pays / aller?**

  ____

- **comment / voyager?**

  ____

- **où / rester?**

  ____

- **qu'est-ce que / faire là-bas?**

  ____

- **quand / partir?**

  ____

- **quand / rentrer?**

  ____

URB p. 164

Nom ______________________________

Classe ____________________ Date ____________

Élève B

Tête à tête

3 Un voyage

a

Your partner is planning a trip next summer.

■ Ask him/her for some details.

• Où est-ce que tu iras?

Record your partner's answers.

- **où / aller?** ______________________
- **avec qui / aller là-bas?** ______________________
- **où / rester?** ______________________
- **qu'est-ce que / faire?** ______________________
- **combien de temps / rester?** ______________________
- **quand / revenir chez toi?** ______________________

b

Plan a trip that you would like to take next summer by checking a box for each item.

- **Destination?**
  - ❑ Mexique
  - ❑ Canada
  - ❑ France
- **Comment?**
  - ❑ en bus
  - ❑ en avion
  - ❑ en auto
- **Résidence?**
  - ❑ rester à l'hôtel
  - ❑ aller chez les copains
  - ❑ aller dans les auberges de jeunesse *(youth hostels)*
- **Activités?**
  - ❑ faire des promenades à vélo
  - ❑ prendre des photos
  - ❑ voir les musées
- **Date de départ?**
  - ❑ le 1er juin
  - ❑ le 15 juin
  - ❑ le 1er juillet
- **Date de retour?**
  - ❑ le 15 juillet
  - ❑ le 1er août
  - ❑ le 20 août

■ When you are ready, answer your partner's questions.

• J'irai en/au . . . ?

URB p. 165

Nom ______________________________

Classe ______________________ Date ______________

Communicative Expressions and Thematic Vocabulary

Pour communiquer

Talking about countries

Je visite la France (le Canada, les États-Unis).	*I visit France (Canada, the United States).*
Il habite en France (au Canada, aux États-Unis).	*He lives in France (Canada, the United States).*
Elle vient de France (du Canada, des États-Unis).	*She comes from France (Canada, the United States).*

Talking about what one will do

Je voyagerai en Italie.	*I will travel in Italy.*
Tu finiras ta leçon.	*You will finish your lesson.*
Ils vendront leur maison.	*They will sell their house.*

Talking about what one would do

Si j'étais en France, je parlerais français.	*If I were in France, I would speak French.*
Si tu avais le temps, tu finirais ta leçon.	*If you had the time, you would finish your lesson.*
Si nécessaire, elles vendraient leur voiture.	*If necessary, they would sell their car.*

Mots et expressions

À la gare et à l'aéroport

un aller et retour	*round trip [ticket]*	en première classe	*(in) first class*
un aller simple	*one way [ticket]*	en seconde classe	*(in) second class*
un billet d'avion	*plane ticket*		
un billet de train	*train ticket*		
un horaire	*schedule*		

Pays et continents

le Brésil	*Brazil*	l'Afrique	*Africa*
le Cambodge	*Cambodia*	l'Allemagne	*Germany*
le Canada	*Canada*	l'Amérique Centrale	*Central America*
le Guatemala	*Guatemala*	l'Amérique du Nord	*North America*
Israël	*Israel*	l'Amérique du Sud	*South America*
le Japon	*Japan*	l'Angleterre	*England*
le Liban	*Lebanon*	l'Argentine	*Argentina*
le Mexique	*Mexico*	l'Aisie	*Asia*
le Moyen Orient	*Middle East*	l'Australie	*Australia*
le Portugal	*Portugal*	la Belgique	*Belgium*
le Sénégal	*Senegal*	la Chine	*China*
le Viêt-Nam	*Vietnam*	la Corée	*Korea*
les États-Unis	*United States*	l'Égypte	*Egypt*
		l'Espagne	*Spain*
		l'Europe	*Europe*
		la France	*France*
		l'Inde	*India*
		l'Irlande	*Ireland*
		l'Italie	*Italy*
		la Russie	*Russia*
		la Suisse	*Switzerland*

Les vacances et les voyages

un continent	*continent*	une caravane	*camping trailer*
un état	*state*	une carte	*map*
un passeport	*passport*	la mer	*ocean, sea*
un pays	*country*	la montagne	*mountains*
un sac à dos	*backpack*	une région	*region*
un visa	*visa*	une valise	*suitcase*
		une villa	*country house*

Équipement de camping

un réchaud	*camping stove*	une casserole	*pot*
un sac de couchage	*sleeping bag*	une couverture	*blanket*
		une lampe de poche	*flashlight*
		une poêle	*pan*
		une tente	*tent*

Les points cardinaux (compass points)

l'est	*east*	le nord-est	*northeast*
l'ouest	*west*	le-nord-ouest	*northwest*
le nord	*north*	le sud-est	*southeast*
le sud	*south*	le sud-ouest	*southwest*

Verbes réguliers

loger	*to stay (have a room)*
louer	*to rent*
passer	*to spend (time)*
transporter	*to carry*
utiliser	*to use*

Verbes irréguliers

apercevoir	*to see, catch sight of*
recevoir	*to get, receive; to entertain people*
faire un séjour	*to spend some time*
faire ses valises	*to pack*
faire un voyage	*to take a trip*

Verbe + à + INFINITIF

apprendre à	*to learn (how) to*
commencer à	*to begin to*
continuer à	*to continue, to go on*
hésiter à	*to hesitate, be hesitant about*
réussir à	*to succeed in, manage*

Verbe + de + INFINITIF

accepter de	*to accept, agree to*
arrêter de	*to stop*
cesser de	*to stop, quit*
décider de	*to decide to*
essayer de	*to try to*
finir de	*to finish*
oublier de	*to forget*
refuser de	*to refuse to*
rêver de	*to dream about*

Expressions utiles

à l'étranger	*abroad*
prêt à	*ready to*

Nom ______________________________

Classe ______________________ Date ______________

Discovering FRENCH Nouveau!

BLANC

UNITÉ 8 Bonnes vacances!

Lecture

A

HAVRE (LE) 76620 - E2

★★★★ CAMPING DE LA FORÊT DE MONTGEON « CHLOROPHILE » - 02.35.46.52.39 - 202 empl. - 01.04 / 31.10

HONFLEUR 14600 - E3

★★ T CAMPING DU PHARE - 02.31.89.10.26 - Fax 02.31.24.71.47 - 110 empl. - 01.04 / 31.09

MONT-SAINT-MICHEL (LE) 50170 - B5

★★ T CAMPING DU MONT-SAINT-MICHEL - 02.33.60.22.10 - Fax 02.33.60.20.02 - Mi-Février / Mi-Novembre

TOUQUES - DEAUVILLE 14800 - E3

★★★★ L CAMPING DES HARAS - 02.31.88.44.84 - Fax 02.31.88.97.08 - 250 empl. - 01.02 / 30.11

LÉGENDES DES ABRÉVIATIONS

Période d'ouverture: 10.04/25.09 Du 10 avril au 25 septembre

- Réservation
- Plats cuisinés
- Ravitaillement sur place
- Chiens admis
- Branchement électrique
- Douches
- Plage
- Rivière
- Pêche
- Sports nautiques
- Golf
- Golf miniature
- Centre Hippique
- Location bicyclette
- Casino
- Location de caravanes
- Aire de service pour camping cars
- Accessibles aux personnes handicapées

Classement antérieur à 1994 :
★★ Classement 2 étoiles

Nouveau classement :
★★ **T** Classement 2 étoiles Tourisme
★★ **L** Classement 2 étoiles Loisirs

Compréhension

1. Dans quel camping ne peut-on pas monter à cheval? au camping du Havre
2. Dans quel camping peut-on louer une caravane? au camping du Mont-Saint-Michel
3. Quels sont les mois d'ouverture du camping du Havre? Il est ouvert d'avril à octobre.
4. Quels sont les mois d'ouverture du camping de Deauville? Il est ouvert de février à novembre.
5. Dans quel camping est-ce que les chiens ne sont pas admis? au camping de Honfleur

Qu'est-ce que vous en pensez?

1. Comment dit-on **fishing** en français? la pêche
2. Quel camping choisiriez-vous et pourquoi? (sample answer)
Je choisirais le camping du Mont-Saint-Michel parce que j'aime l'équitation et le mini-golf.

URB p. 169

Nom ______________________________

Classe ____________________ Date ______________

B

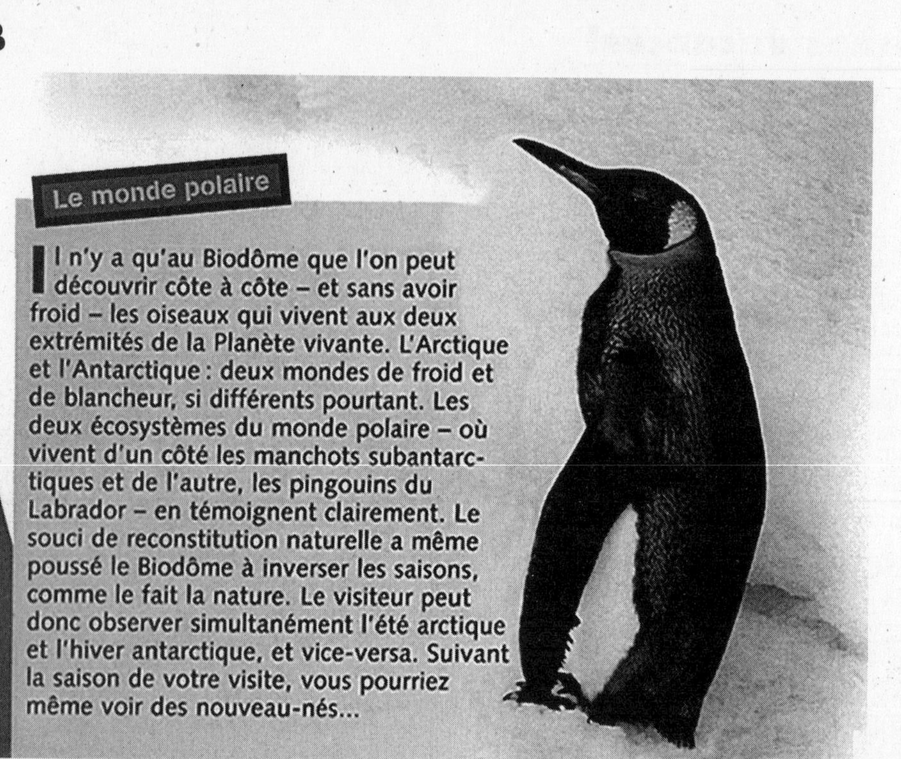

Le monde polaire

Il n'y a qu'au Biodôme que l'on peut découvrir côte à côte – et sans avoir froid – les oiseaux qui vivent aux deux extrémités de la Planète vivante. L'Arctique et l'Antarctique : deux mondes de froid et de blancheur, si différents pourtant. Les deux écosystèmes du monde polaire – où vivent d'un côté les manchots subantarctiques et de l'autre, les pingouins du Labrador – en témoignent clairement. Le souci de reconstitution naturelle a même poussé le Biodôme à inverser les saisons, comme le fait la nature. Le visiteur peut donc observer simultanément l'été arctique et l'hiver antarctique, et vice-versa. Suivant la saison de votre visite, vous pourriez même voir des nouveau-nés...

Compréhension

1. Quels sont les deux oiseaux des pôles qu'on peut découvrir au Biodôme?
   les manchots ______ les pingouins ______
2. Quel est le nom qui vient de l'adjectif **blanc?**
   la blancheur
3. Quand c'est l'été en Arctique, quelle saison est-ce en Antarctique?
   C'est l'hiver.
4. Si on va au Biodôme en été, est-ce qu'on peut y voir l'Antarctique en hiver? Pourquoi?
   (oui) non
   parce que les saisons sont inversées
5. Quel est le synonyme de **bébé?**
   un nouveau-né

Qu'est-ce que vous en pensez?

1. Comment dit-on "side by side" en français?
   côte à côte
2. Comment dit-on "on one side. . . . on the other side . . ." en français?
   d'un côté . . . et de l'autre

URB p. 170

C

Couleurs et parfums du monde

On dit que le Jardin botanique, fondé en 1931, est aujourd'hui l'un des plus importants au monde. Plus de 21 000 espèces et variétés de plantes proviennent de toutes les régions du globe. Dix serres d'exposition et une trentaine de jardins extérieurs couvrent une superficie de 75 hectares.

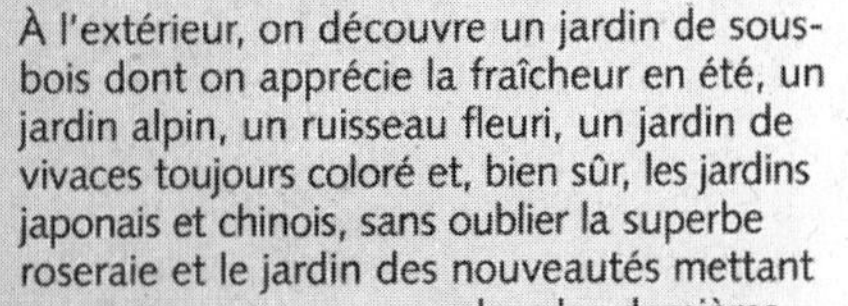

Le complexe d'accueil donne accès à la serre d'introduction et propose une foule de services qui aident le visiteur à explorer beaucoup plus facilement les mille et un visages du Jardin.

À l'extérieur, on découvre un jardin de sous-bois dont on apprécie la fraîcheur en été, un jardin alpin, un ruisseau fleuri, un jardin de vivaces toujours coloré et, bien sûr, les jardins japonais et chinois, sans oublier la superbe roseraie et le jardin des nouveautés mettant en valeur les dernières tendances en horticulture.

La nouvelle Cour des sens, spécialement conçue pour les non-voyants, propose un parcours sensitif pour découvrir le Jardin tout autrement. Bienvenue à tous !

Compréhension

1. En quelle année est-ce que le Jardin botanique de Montréal a été créé?
   Il a été créé en 1931.
2. Combien de jardins extérieurs y a-t-il environ?
   Il y en a 30 environ.
3. Est-ce qu'il y a quelques services ou beaucoup de services?
   Il y a beaucoup (une foule) de services.
4. Quel est le synonyme de **visage?**
   silhouette   (aspect)
5. Quelles fleurs y a-t-il dans une roseraie?
   Il y a des roses.

Qu'est-ce que vous en pensez?

1. Qu'est-ce qu'un **non-voyant** ne peut pas faire?
   (voir)   entendre
2. Quelle partie du Jardin botanique visiteriez-vous de préférence et pourquoi?
   (sample answer) Je visiterais le jardin alpin parce que j'aime la montagne.

URB p. 171

Nom ______________________________

Classe ______________________ Date ______________

Discovering FRENCH Nouveau!

BLANC

UNITÉ 8 Reading and Culture Activities

Aperçu culturel

Prenez votre manuel de classe et relisez les pages 434 et 435. Ensuite, complétez les paragraphes avec les mots suggérés.

auberges	colonie	louer	mer
monde	pays	logement	terrain

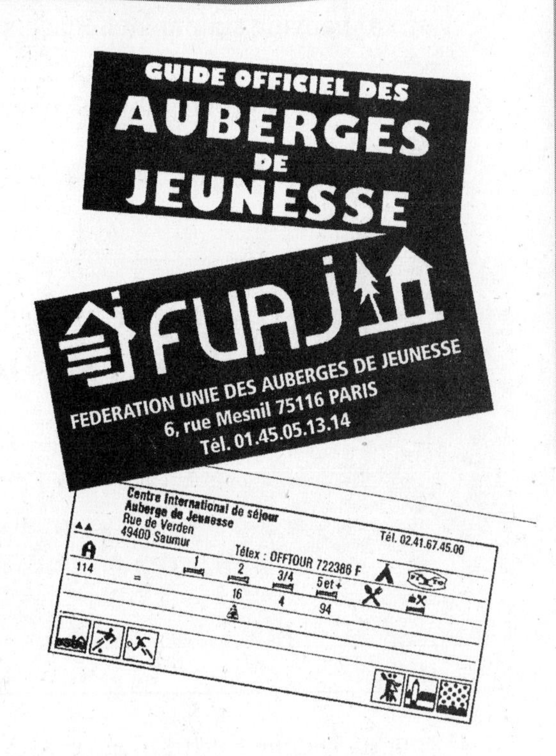

1. Quand elle était petite, Élisabeth Lamy allait en colonie de vacances pendant l'été. Maintenant, elle passe les vacances avec sa famille. En général, les Lamy font du camping sur un terrain bien équipée. Cette année, ils ont décidé de louer une villa près de la mer.
2. Bob est un étudiant américain qui visite la France. Comme il n'a pas beaucoup d'argent, il loge dans les auberges de jeunesse. C'est une excellente occasion de rencontrer les jeunes de tous les pays du monde. Hier, Bob a rencontré deux étudiants italiens avec qui il va faire une excursion à Mont-Saint Michel.

FLASH culturel

Pour aller en France, il n'est pas nécessaire d'aller à Paris. On est en France à la Martinique, à Tahiti et à Saint-Pierre-et-Miquelon.

- Où est situé Saint-Pierre-et-Miquelon?
  - A. En Afrique.
  - B. En Asie.
  - C. En Amérique du Nord. (circled)
  - D. En Amérique du Sud.

Pour vérifier votre réponse, allez à la page 295. ➜

URB p. 173

Nom ______________________________

Classe ______________________ Date ______________

Discovering FRENCH Nouveau!

BLANC

DOCUMENTS

Read the following documents and select the correct completion for each of the accompanying statements. Place a check in the corresponding box.

1. Cette annonce est une publicité pour . . .
   - ☑ un pays.
   - ☐ un sport.
   - ☐ une plage.

AU SÉNÉGAL
LES PLAGES SONT À VOUS

De juin à septembre, à 5 heures de la France, le Sénégal, c'est le véritable paradis des vacances. Le soleil, une mer tiède, des plages sûres, des activités sportives: voile, tennis, équitation, pêche sur l'une des côtes les plus poissonneuses. Un équipement hôtelier de grand confort et pour couronner le tout, la découverte d'un pays fascinant: le Sénégal, avec son folklore, ses rites ancestraux, et la chaleur proverbiale de son accueil. Été 2004: le bon moment pour découvrir le Sénégal.

2. Ce matin, Hélène Bertrand est passée à la poste pour envoyer le télégramme suivant.

Services spéciaux demandés : (voir au verso)

Inscrire en **CAPITALES** l'adresse complète (rue, nº bloc, bâtiment, escalier, etc...), le texte et la signature (une lettre par case ; **laisser une case blanche entre les mots**).

Nº 698 **TÉLÉGRAMME**

Nom et adresse: ANNIE VATEL
54 RUE BALLU
75009 PARIS

TEXTE et éventuellement signature très lisible: ARRIVERAI GARE MONTPARNASSE
MERCREDI 18H45
ATTENDS-MOI SORTIE GARE
MERCI HELENE

Pour avis en cas de non-remise, indiquer le nom et l'adresse de l'expéditeur (2) :

- Dans le télégramme, Hélène annonce qu'elle va . . .
  - ☑ prendre le train.
  - ☐ voyager en avion.
  - ☐ louer une voiture.
- La personne qui va recevoir le télégramme doit . . .
  - ☐ acheter un billet de bus.
  - ☐ réserver une chambre d'hôtel.
  - ☑ chercher Hélène à la gare.

URB p. 174

Partez avec Air Canada.
Paris-Montréal aller et retour:

400€
seulement.

Tarif Apex: les services d'une ligne régulière pour un prix charter.

Le tarif Apex vous offre tous les avantages d'un voyage sur ligne régulière, à un tarif réduit. Il suffit de réserver 60 jours à l'avance et de séjourner un minimum de 14 jours et un maximum de 45 jours. Profitez donc de ce tarif exceptionnel!

3. Cette publicité a paru dans un magazine français.
   - Pour le prix annoncé, on peut acheter . . .
     - ❑ un billet de première classe.
     - ❑ un aller Paris-Montréal
     - ☑ un billet Paris-Montréal / Montréal-Paris.
   - Une personne intéressée par cette annonce doit . . .
     - ❑ avoir un passeport canadien.
     - ❑ voyager avec un groupe.
     - ☑ rester au moins *(at least)* deux semaines au Québec.

CAMPING
au bord de la rivière inc.

ROUTE 138 • LA MALBAIE • QUÉBEC
418.665.4991 418.665.2768 G5A 1M8
INFORMATIONS ET TARIFS 2004
OUVERT DU 15 MAI AU 10 OCTOBRE

	tente	tente roulotte	roulotte
jour	$12.00	$14.00	$14.00
sem.	$72.00	$84.00	$84.00
mois	$300.00	$325.00	$325.00
billet de saison: 15 mai au 1er oct.			$475.00

RÈGLEMENTS

- Les campeurs doivent respecter l'aménagement des sites, les arbres et les constructions.
- Les animaux (chats, chiens, etc.) sont tolérés à condition qu'ils soient tenus attachés et qu'ils n'importunent pas les voisins.
- Les véhicules admis sur le terrain ne devront pas dépasser la vitesse de 10 km/h.
- Les visiteurs devront circuler à pied sur le terrain, leur véhicule n'étant pas admis.

4. Voici une annonce pour un terrain de camping au Québec.
   - Pour 300 dollars canadiens, on peut . . .
     - ❑ acheter une tente.
     - ☑ rester le mois d'août ici.
     - ❑ acheter un billet de saison.
   - Dans ce camping, il est interdit de (d') . . .
     - ❑ amener des chiens.
     - ☑ couper *(to cut)* les arbres.
     - ❑ faire des promenades à pied.

URB p. 175

Nom ______________________

Classe ______________________ Date ______________________

Discovering FRENCH Nouveau
BLANC

C'est La Vie

1. Voyages et vacances

VOYAGES & VACANCES
séjours et circuits

40 Cologne et le Rhin

Voyage individuel
Départs quotidiens du 4 mai au 5 octobre
300€

Mini-croisière
1er jour: Départ par le train de Paris-Est vers 23 h en couchettes de 2e classe.
2e jour: Arrivée à Mayence vers 7 h. Embarquement vers 8 h 15. Descente du Rhin de Mayence à Cologne (possibilité de déjeuner au restaurant à bord). Arrivée à Cologne vers 18 h. Logement à l'hôtel Mondial (ou équivalent).
3e jour: Petit déjeuner. Journée libre à Cologne. Départ par le train vers 23 h en couchettes de 2e classe.
4e jour: Arrivée à Paris-Nord vers 6 h 30.

41 Interlaken à la carte

Voyage individuel
Départs quotidiens du 1er avril au 31 octobre
À partir de 228€

Découverte de l'Oberland bernois en toute liberté
Voyage en train aller-retour, en places assises de 2e classe.
Séjour en demi-pension (2 nuits en chambre double) à Interlaken, en hôtel catégorie standard ou 1re catégorie.
Hôtel standard: **228€**
Hôtel 1re catégorie avec bains ou douche: **275€**

42 Venise par avion

Voyage individuel d'avril à octobre
345€

Départ de Paris le jour de votre choix.
Retour à Paris le jour de votre choix (mais pas avant le dimanche suivant le départ).

Prix pour 2 jours à Venise (1 nuit): **345€** comprenant le voyage aérien en classe «vacances» (vols désignés), le logement en chambre double avec bains ou douche, le petit déjeuner.

43 Londres par avion

Voyage individuel d'avril à octobre
230€

Départ de Paris tous les jours.
Retour à Paris à partir du dimanche suivant l'aller.
Prix pour 2 jours (1 nuit): **230€** comprena le voyage aérien en classe «vacances», le logement en chambre double, bains, TV radio, avec petit déjeuner britannique.

44 Séjour d'une semaine à Florence

Voyage individuel
Départs les samedis du 12 avril au 25 octobre
550€
hôtel 1 re catégorie

Samedi: Départ de Paris gare de Lyon ver 19 h 30 en couchettes de 2e classe.
Dimanche: Arrivée à Florence vers 8 h 45 Transfert libre à l'hôtel.
Séjour en logement et petit déjeuner jusqu'au samedi suivant.
Samedi: Départ de Florence vers 17 h 30 couchettes de 2e classe.
Dimanche: Arrivée à Paris-Lyon vers 8 h

Prix par personne: **550€** comprenant:
-Voyage aller et retour en couchettes de 2e classe. -6 nuits en logement et petit déjeur (chambre double avec douche ou bains).

45 Deux semaines en Egypte

NOUVEAU

Départs de Paris :
8 juin
2 juillet
12 juillet
24 juillet
À partir de 1 500€

Une merveilleuse croisière du Caire à Assouan (ou vice-versa) vous permet de visiter l'Egypte dans les meilleures conditions : le Golden Boat vous propose 52 cabines extérieures climatisées, avec sanitaire privé, téléphone, vidéo, T.V., radio. A bord, piscine, bar, discothèque, boutiques, coiffeur, pont soleil. En été, la chaleur sèche de l'Egypte est de loin préférable à la chaleur humide des pays tropicaux ; de plus votre navire, les hôtels et les cars ont l'air conditionné. Les touristes sont néanmoins plus rares qu'en hiver ce qui vous permet de voyager dans des conditions optimales et de bénéficier des meilleurs services.

(sample answers)

Vous avez passé six mois à Paris et avant de revenir aux États-Unis, vous avez décidé de faire un voyage.

Vous passez dans une agence de voyages qui vous propose six voyages différents. Choisissez un de ces voyages.

- Quel voyage avez-vous choisi? (Donnez le numéro de ce voyage.)

  45

- Quel pays allez-vous visiter pendant ce voyage?

  l'Égypte

- Comment allez-vous voyager? (un bateau = *boat*)

  en bateau

- Combien de temps est-ce que le voyage dure (*last*)?

  deux semaines

- Quel est le prix du voyage que vous avez choisi?

  1500€

- Pourquoi avez-vous choisi ce voyage?

  J'ai choisi ce voyage parce que je voudrais visiter un endroit très différent d'un pays européen. En Égypte il y a beaucoup de monuments que j'aimerais voir.

10,00
PIPER TOMAHAWK
AERO-CLUB
SAINT-PIERRE & MIQUELON

FLASH culturel

→ **C.** Saint-Pierre-et-Miquelon sont deux îles de l'Atlantique Nord. Elles sont situées à 25 kilomètres de Terre-Neuve *(Newfoundland)* au Canada. Saint-Pierre-et-Miquelon est la collectivité territoriale la plus proche *(close)* des États-Unis.

URB p. 177

Nom ______________________________

Classe ____________________ Date ____________

BLANC

C'est La Vie *(continued)*

2. Vacances en Polynésie française

La Polynésie française est un territoire français situé dans le Pacifique Sud à 17 500 kilomètres de la France et à 7 000 kilomètres des États-Unis. C'est un groupe d'îles qui comprend *(includes)* Tahiti, Mooréa et Bora Bora. À cause de leur climat tropical et de leur beauté naturelle, ces îles sont devenues un paradis touristique.

Vous avez décidé de passer vos vacances en Polynésie.

TAHITI à partir de **1500€** vol seul aller et retour

AIR FRANCE VACANCES

MOOREA • BORA BORA

AVION-HOTEL-AUTO

■ AVION

PAPEETE ou départ de :

Tarif excursion 13 jours minimum	du 01/12/04 ou 10/01/05
Paris vendredi 1500€	2050€

Liaisons aéroport / ville : 6 km

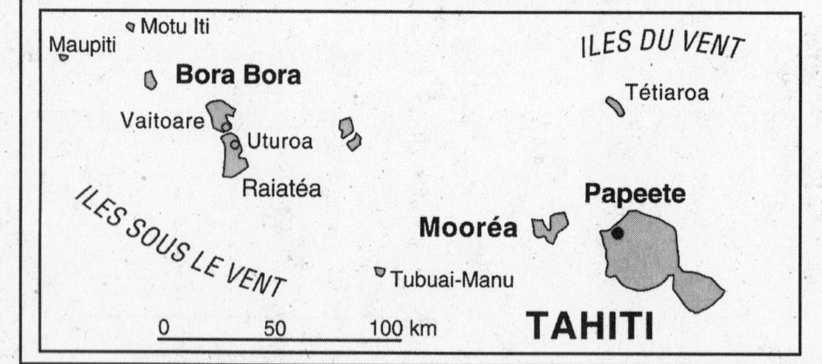

■ AUTO

Vous avez la possibilité de réserver votre voiture avant le départ, mais vous réglerez sur place, au tarif local.

Rendez-vous HERTZ:
En ville: rue du Commandant Destremeau - Tél. : 01.42.04.71
À l'aéroport : Tél. : 01.42.55.86

■ AVION

Prix par personne et par nuit avec petit déjeuner continental

A BORA BORA
Hôtel Marara
■■■■□ catégorie supérieure

BP 6 - Bora Bora - Polynésie française Tél. : (689) 67.70.46.
64 farés au bord d'une très belle plage. Restaurant, bar, boutiques, piscine d'eau douce.
Activités gratuites: planches à voile aquacycles, pirogues.

Toute la saison :	
Chambre double	60€
Chambre individuelle	91€

AIR FRANCE

Le voyage (sample answers)

- Avec quelle compagnie aérienne est-ce que vous irez à Tahiti?

Air France

- Combien coûte le voyage en avion?

de 1 500€ à 2 050€

- Combien de temps est-ce que vous devez rester, au minimum?

13 jours

Le séjour

Vous avez choisi de rester à Bora Bora.

- Quelle est la distance approximative entre Tahiti et Bora Bora?

200 km

- Comment est-ce qu'on peut aller à Bora Bora?

On peut aller à Bora Bora en avion.

- Qu'est-ce qu'on peut faire là-bas?

Les activités gratuites: planches à voile, aquacycles et pirogues.

Nom ______________________________ Discovering FRENCH Nouveau!

Classe ______________________ Date ______________

BLANC

Textes

■ Read the following selections and select the correct completion for each of the accompanying statements. Place a check in the corresponding box.

LANGUES

La langue officielle du Québec est le français, mais pour presque un million d'habitants de la Province, la langue maternelle n'est pas le français. De nos jours, 35 langues y sont bien vivantes de même que 30 religions, et les habitants de la Province ont des racines ancestrales dans 41 pays. On y parle couramment l'anglais, surtout dans la partie ouest: l'anglais est la langue maternelle de 18 pour cent de la population. Litalien le grec et le chinois sont aussi des langues parlées par un bon nombre de Montréalais.

Ce texte est extrait d'une brochure touristique publiée par le gouvernement de Québec. Dans ce texte on apprend que . . .

- ❑ le Québec est une région touristique.
- ☑ les habitants du Québec représentent une grande variété multiculturelle.
- ❑ tous les habitants de Québec sont bilingues.

CAMEROUN

- Consulat du Cameroun : 147 bis, rue de Longchamp, 75116 Paris. Tél.: 01.45.03.21.06.
- Passeport avec visa.
- Vaccination anti-fièvre jaune obligatoire. Traitement anti-paludéen recommandé.
- L'unité de monnaie légale est le franc CFA (communauté financière africaine); 100 F CFA valant 30 centimes
- Heure locale : GMT + 1 (Paris : GMT +1 en hiver, GMT + 2 en été).
- Emportez des vêtements légers en coton, toile ou gabardine et des chaussures confortables pour les visites dans le nord ainsi que des lainages. Pensez aussi à vous protéger du soleil : lunettes efficaces et chapeau.
- Souvenirs : les objets recouverts de fines perles sont très caractéristiques du Cameroun. Dans le sud, on trouve les bronzes et les cuivres bamoums et les très beaux masques bamilékés. Dans le nord, recherchez les poteries et vanneries kotokos.

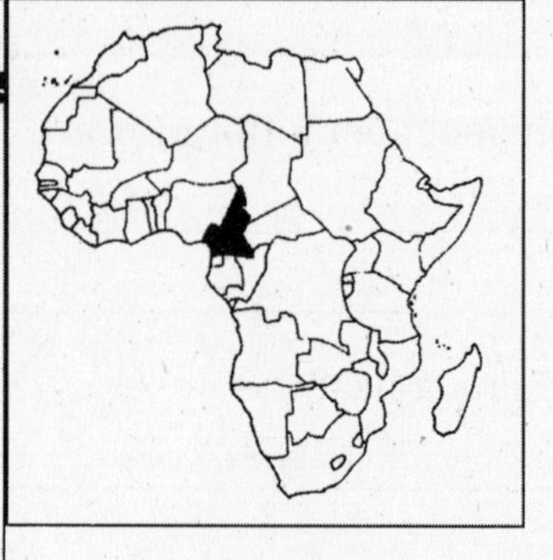

1. D'après la carte, le Cameroun est un pays . . .
   - ☑ d'Afrique.
   - ❑ d'Asie.
   - ❑ d'Europe.

2. L'objectif du texte est de . . .
   - ❑ décrire le pays et ses habitants.
   - ❑ décrire les coutumes du pays.
   - ☑ donner des renseignements pratiques aux touristes.

L'Orient-Express

L'Orient-Express est peut-être le plus célèbre train du monde. C'était un train de luxe qui traversait l'Europe d'ouest en est. Les voyageurs montaient à Paris et descendaient à Istanboul, en Turquie, après un voyage de 3 200 kilomètres. Pendant le voyage, ils traversaient l'Allemagne, l'Autriche, la Hongrie, la Roumanie et la Bulgarie.

Le fameux train a été mis en service en 1883. À l'origine, les voyageurs devaient descendre du train à Bucarest (en Roumanie). Ils traversaient le Danube en bateau et puis ils reprenaient un autre train jusqu'au port de Varna sur la Mer Noire. De là, ils prenaient un steamer qui les transportait à Istanboul. Le voyage durait trois jours et demi. C'était une véritable aventure!

L'atmosphère fabuleuse de ce train a été reconstituée dans de nombreux romans et films, comme «Le Crime de l'Orient-Express» avec la grande actrice Ingrid Bergman.

Aujourd'hui, l'Orient-Express n'existe plus dans sa forme originelle. Il a été remplacé par une ligne plus rapide, mais beaucoup plus ordinaire qui s'arrête à Bucarest. En été, les touristes qui ont la nostalgie du passé peuvent aussi faire un circuit spécial Paris-Venise dans les luxueuses voitures de l'ancien Orient-Express.

1. L'Orient-Express est . . .
   - ☑ un train historique.
   - ❑ un train à grande vitesse.
   - ❑ un train qui traverse l'Asie.

2. Les premiers passagers de l'Orient-Express ont été confrontés par le problème suivant:
   - ❑ ils avaient besoin de visas.
   - ☑ il fallait *(was necessary)* changer de train pendant le voyage.
   - ❑ ils risquaient d'être attaqués par des bandits.

3. Ingrid Bergman est . . .
   - ☑ une actrice d'un film au sujet de l'Orient-Express.
   - ❑ l'auteur d'un roman policier sur l'Orient-Express.
   - ❑ une des premières passagères de l'Orient-Express.

4. L'Orient-Express du passé . . .
   - ❑ roule encore aujourd'hui.
   - ☑ a été remplacé par un train plus moderne.
   - ❑ est utilisé aujourd'hui uniquement comme un train de marchandises *(freight)*.

URB p. 181

Nom ______________________________

Classe ____________________ Date ______________

Discovering FRENCH *Nouveau!*

BLANC

INTERLUDE 8: La chasse au trésor

Le jeu des 5 erreurs

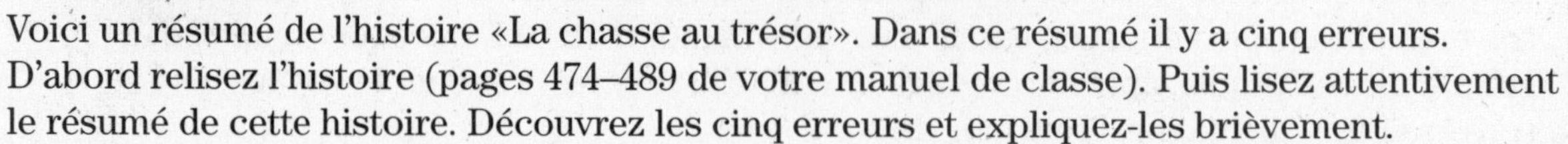

Voici un résumé de l'histoire «La chasse au trésor». Dans ce résumé il y a cinq erreurs. D'abord relisez l'histoire (pages 474–489 de votre manuel de classe). Puis lisez attentivement le résumé de cette histoire. Découvrez les cinq erreurs et expliquez-les brièvement.

Restaurant du Lac 200 m →

Bonjour! Je m'appelle Jean-Paul. J'ai décidé de participer à la chasse au trésor. Samedi matin, j'ai pris mon sac à dos dans lequel j'ai mis les objets indiqués à la case 0. Je suis monté sur mon vélo et je suis parti.

À midi, je me suis arrêté près d'un lac et j'ai pris une photo du lac. J'ai fait un pique-nique, puis je suis allé nager dans le lac. Ensuite j'ai fait une petite promenade. Pendant la promenade j'ai trouvé un porte-monnaie dans lequel j'ai trouvé un billet de 5 euros. J'ai pris le billet et j'ai continué ma promenade à vélo.

Au sommet d'une côte, j'ai vu une belle maison de pierre. Je me suis arrêté et j'ai pris une photo. En faisant le tour de la maison, j'ai vu que la porte de la cuisine était ouverte. Alors, je suis entré. Dans la cuisine, il y avait un buffet que j'ai ouvert. Dans un tiroir, j'ai vu une assiette. Sur cette assiette il y avait un dessin représentant un vieux marin et une inscription qui disait: «Souvenir de La Rochelle». J'ai trouvé l'assiette amusante et je l'ai prise. Je suis remonté sur mon vélo et j'ai continué ma promenade.

Peu après, il a commencé à pleuvoir. Alors, j'ai mis mon imper. La pluie a continué et j'ai décidé de m'arrêter. J'ai vu une grange où je suis entré. Dans la grange, il y avait une Mercedes noire. Sur le capot, il y avait un masque de ski que j'ai mis pour me protéger contre la pluie. Quand je suis sorti de la grange, il ne pleuvait plus. Alors j'ai mis le masque dans mon sac, j'ai ôté mon imper et j'ai continué.

Après quelques kilomètres, je suis arrivé à un rond-point avec deux routes possibles : une route nord et une route sud. J'ai pris la route sud et je suis rentré chez moi, fatigué mais content de ma journée!

(sample answers)

Les 5 erreurs (Si c'est nécessaire, utilisez une feuille de papier séparée.)

1ère erreur Dans le porte-monnaie, il y avait un billet de 50 euros, et non pas de 5 euros.

2ème erreur C'est la fenêtre de la cuisine qui était ouverte, et non pas la porte.

3ème erreur L'assiette représentait un homme à cheval et non pas un vieux marin. L'inscription disait «Waterloo 1814» et non pas «Souvenir de La Rochelle».

4ème erreur Dans la grange, il y avait une Peugeot et non pas une Mercedes.

5ème erreur Au rond-point, il y avait le choix entre 3 routes, et non pas 2: une autoroute, la route sud et la route nord.

UNIT TEST 8 (Lessons 29, 30, 31, 32) FORM A

Première Partie: Compréhension

1. La réponse logique (20 points)

You will hear a series of questions. Listen carefully to each question and select the most logical answer. On your test sheet, circle the corresponding letter: a, b, or c. You will hear each question twice.

Vous allez entendre une série de questions. Écoutez bien chaque question et choisissez la réponse logique à cette question. Marquez la lettre correspondante—a, b ou c—avec un cercle. Chaque question sera répétée.

Modèle: [Où vas-tu passer les vacances?]
a. Au cinéma.
b. Au supermarché.
(c.) À la campagne.

1. a. Je vais à la montagne.
   b. J'aime l'équitation.
   c. Je vais faire de la planche à voile.
2. a. En auto.
   b. À l'hôtel.
   c. Trois semaines.
3. a. Oui, j'ai mon visa.
   b. Non, nous restons à l'hôtel.
   c. Non, nous allons louer une voiture.
4. a. Un sac à dos.
   b. Des pulls et des pantalons.
   c. Des casseroles.
5. a. Je n'ai pas de tente.
   b. Non, j'ai froid.
   c. Je vais faire du camping cet été.
6. a. Je vais faire mes valises.
   b. Je vais voyager à l'étranger.
   c. Je suis prêt à partir.
7. a. L'Afrique et l'Asie.
   b. La Californie et le Nevada.
   c. La Suisse et la Belgique.
8. a. L'Angleterre.
   b. L'Allemagne.
   c. Le Portugal.
9. a. Non, un aller et retour, s'il vous plaît.
   b. Non, en seconde classe.
   c. Oui, je veux un billet d'avion.
10. a. Il arrive dans dix minutes.
    b. Non, je vais à Strasbourg.
    c. Je ne sais pas! Regardez l'horaire!

Nom ______________________________

Classe ____________________ Date ____________

Deuxième Partie: Vocabulaire et Structure

2. Quel pays? (6 points)

For each city, write the name of the country in which it is located. Be sure to use the appropriate article.

▶ Paris — la France

1. Moscou ____________
2. Tokyo ____________
3. Rome ____________
4. Mexico ____________
5. Berlin ____________
6. Washington ____________

3. Le bon mot (14 points)

Find the logical completion for each of the following sentences and circle the corresponding letter: a, b, or c.

1. En été, j'aime aller ___ parce que j'aime nager.
   a. en vacances b. au camping c. à la mer
2. En hiver, beaucoup de gens vont ___ pour faire du ski.
   a. à la campagne b. à la Martinique c. à la montagne
3. Armelle ne va pas rester en France cet été. Elle va aller ___.
   a. chez des amis b. à l'étranger c. à l'hôtel
4. Quand on fait du camping, on dort dans ___.
   a. un poêle b. un sac à dos c. un sac de couchage
5. Je vais prendre mon train à ___ de Lyon.
   a. la poste b. la gare c. l'église
6. Est-ce que vous avez acheté votre ___ d'avion?
   a. billet b. bulletin c. aéroport
7. J'ai mis mes vêtements dans ___.
   a. ma valise b. mon visa c. la poêle
8. Je vais acheter ___ parce que je ne connais pas très bien la région.
   a. un passeport b. une cravate c. une carte
9. Qu'est-ce que tu ___ dans ton sac?
   a. fais b. utilises c. transportes

10. Florence a fait ses valises. Maintenant elle ___ partir.
   a. est prête à   b. vient de   c. hésite à
11. Les touristes sont montés à la tour Eiffel. De là, ils ___ Notre Dame.
   a. visitent   b. reçoivent   c. aperçoivent
12. Yasmina ne peut pas aller au concert parce qu'elle ___ acheter les billets.
   a. a réussi à   b. a oublié d'   c. a fini d'
13. Malik est optimiste. Il ___ avoir une voiture de sport.
   a. refuse d'   b. rêve d'   c. apprend à
14. Catherine est très habile *(good at fixing things)*. Elle ___ réparer le téléviseur.
   a. a réussi à   b. a cessé de   c. a refusé de

4. L'été prochain (14 points)

Describe what the following people will do this summer by completing the sentences with the appropriate FUTURE forms of the verbs in parentheses.

1. (passer) Nous ________________ un mois à la montagne.
2. (partir) Tu ________________ en juillet.
3. (rendre) Nicolas ________________ visite à ses grands-parents.
4. (faire) Vous ________________ un voyage à l'étranger.
5. (aller) J' ________________ en France.
6. (voir) Pauline ________________ ses copains anglais.
7. (venir) Mes cousins ________________ chez moi.

5. Avec de l'argent (10 points)

Say what the following people would do if they had money. Use the CONDITIONAL of the verbs in parentheses.

1. (voyager) Vous ________________ en première classe.
2. (avoir) J' ________________ un scooter.
3. (être) Nous ________________ généreux avec nos amis.
4. (partir) En été, Sophie ________________ en voyage.
5. (louer) Mes cousins ________________ une villa à Cannes.

Nom ____

Classe ______________________ Date ______________

6. Contextes et dialogues (16 points)

Complete the dialogues by selecting the appropriate words or expressions and writing them in the corresponding blanks.

A. Philippe parle à son ami Léa.

PHILIPPE: Qu'est-ce que tu as fait l'été dernier?

LÉA: J'ai fait un grand voyage _______ Amérique du Nord. (à / en)

PHILIPPE: Ah bon? Où es-tu allée?

LÉA: D'abord, j'ai visité _______ Canada. (le / au)

PHILIPPE: Et après?

LÉA: Je suis allée _______ États-Unis. (les / aux)

PHILIPPE: Est-ce que tu es allée _______ Mexique? (le / au)

LÉA: Non, je n'ai pas eu le temps.

B. Cet été Nicolas va aller au Canada avec des copains. Il parle avec sa cousine Valérie.

VALÉRIE: Alors, c'est vrai? Tu vas aller au Canada cet été?

NICOLAS: Oui, nous _______________ en juin. (partirons / partirions)

VALÉRIE: Comment est-ce que vous voyagerez?

NICOLAS: Ça dépend! _______________ nous avons assez d'argent, nous _______________ une voiture. (Quand / Si) (louons / louerons)

VALÉRIE: Dis, Nicolas. Est-ce que tu m'écriras quand tu _______________ au Canada? (es / seras)

NICOLAS: Oui, bien sûr!

Nom ______________________________

Classe ______________________ Date ______________

Discovering FRENCH Nouveau!

BLANC

Troisième Partie: Expression personnelle

7. Un voyage (20 points)

In a paragraph, write about a trip abroad, real or imaginary, that you will take next fall. Use complete sentences. Mention:

- which countries you will go to (mention at least two countries)
- what day you will leave
- where you will stay (with friends? at a hotel? in a country house?)
- what places you will see (mention at least two places)
- what else you will do
- what day you will come back

Nom ______________________________________

Classe ____________________________ Date ________________

Discovering FRENCH Nouveau!

BLANC

UNIT TEST 8 (Lessons 29, 30, 31, 32) FORM B

Première Partie: Compréhension

1. La réponse logique (20 points)

You will hear a series of questions. Listen carefully to each question and select the most logical answer. On your test sheet, circle the corresponding letter: a, b, or c. You will hear each question twice.

Vous allez entendre une série de questions. Écoutez bien chaque question et choisissez la réponse logique à cette question. Marquez la lettre correspondante—a, b ou c—avec un cercle. Chaque question sera répétée.

Modèle: [Où vas-tu passer les vacances?]
a. Au cinéma.
b. Au supermarché.
(c.) À la campagne.

1. a. Je vais à la montagne.
   b. J'aime la voile.
   c. Je vais faire de l'escalade.
2. a. Trois semaines.
   b. Chez des amis.
   c. En voiture.
3. a. Un sac à dos.
   b. Des vêtements.
   c. Des casseroles.
4. a. Dans nos sacs de couchage.
   b. À la mer.
   c. Pendant les vacances.
5. a. Nous allons faire nos valises.
   b. Nous allons voyager à l'étranger.
   c. Nous sommes prêts à partir.
6. a. L'Afrique et l'Asie.
   b. La Californie et la Floride.
   c. La Suisse et la Belgique.
7. a. Le Viêt-Nam.
   b. L'Allemagne.
   c. Le Mexique.
8. a. Non, un aller simple, s'il vous plaît.
   b. Non, en première classe.
   c. Oui, je veux un billet d'avion.
9. a. Non, je ne parle pas français.
   b. Oui, je suis canadien.
   c. Non, je vais prendre l'avion.
10. a. Il arrive dans dix minutes.
    b. Non, je vais à Genève.
    c. Je ne sais pas! Regardez l'horaire!

Deuxième Partie: Vocabulaire et Structure

2. Quel pays? (6 points)

For each city, write the name of the country in which it is located. Be sure to use the appropriate article.

▶ Paris la France

1. Londres ____________
2. Washington ____________
3. Rome ____________
4. Tokyo ____________
5. Madrid ____________
6. Ottawa ____________

3. Le bon mot (14 points)

Find the logical completion for each of the following sentences and circle the corresponding letter: a, b, or c.

1. Quand on fait du camping, on prépare ses repas sur ___.
   a. une allumette b. un sac à dos c. un réchaud
2. Si tu as froid la nuit, prends ___.
   a. une couverture b. un réchaud c. une lampe de poche
3. Quand on aime faire de la voile, on va en vacances ___.
   a. à la piscine b. à la mer c. en avion
4. Je ne connais pas très bien la région. J'ai besoin d'acheter ___.
   a. un visa b. une carte c. une carte postale
5. J'ai un sac à dos, mais quand je voyage, je préfère utiliser ___.
   a. une valise b. une villa c. une tente
6. Pour notre voyage en France, nous allons louer ___.
   a. une caravane b. une casserole c. un billet
7. Mariama adore faire des voyages. En été, elle va souvent ___.
   a. chez elle b. à l'étranger c. à la plage
8. Pendant les vacances, Thérèse va faire ___ en Russie parce qu'elle veut apprendre le russe.
   a. un séjour b. un pays c. un état
9. J'ai fait mes valises. Maintenant je suis ___ partir.
   a. prêt à b. triste de c. en train de

Nom ____

Classe ___________________________ Date ______________

10. Je vais à l'aéroport pour prendre ___.
   a. le train b. la caravane c. l'avion
11. Les touristes sont montés à l'Arc de Triomphe. De là, ils ___ la tour Eiffel.
   a. reçoivent b. aperçoivent c. essaient
12. Je ne peux pas prendre de photos. J' ___ prendre mon appareil-photo.
   a. ai fini de b. ai oublié de c. ai rêvé de
13. Zoé a de la chance. Elle ___ acheter les billets pour le concert.
   a. a appris à b. a réussi à c. a oublié de
14. Monsieur Morin est en bonne santé parce qu'il ___ fumer.
   a. a décidé de b. a cessé de c. a essayé de

4. L'été prochain (14 points)

Describe what the following people will do this summer by completing the sentences with the appropriate FUTURE forms of the verbs in parentheses.

1. (voyager) Nous ________________.
2. (partir) Corinne ________________ en vacances le 1er juillet.
3. (prendre) Mes cousins ________________ leurs vacances en août.
4. (venir) Vous ________________ avec nous.
5. (voir) Frédérick ________________ ses cousins allemands.
6. (être) En juillet, je ________________ au Portugal.
7. (faire) Marc et Thomas ________________ un voyage en Russie.

5. Avec de l'argent (10 points)

Say what the following people would do if they had money. Use the CONDITIONAL of the verbs in parentheses.

1. (prendre) Mes parents ________________ des vacances.
2. (habiter) Nous ________________ dans une grande maison.
3. (sortir) Armelle ________________ tous les soirs.
4. (aller) Vous ________________ en Haïti.
5. (avoir) Tu ________________ une voiture de sport.

6. Contextes et dialogues (16 points)

Complete the dialogues by selecting the appropriate words or expressions and writing them in the corresponding blanks.

A. Carole parle à son ami canadien Damien.

CAROLE: Qu'est-ce que tu as fait pendant ton voyage en Europe?

DAMIEN: D'abord, j'ai visité ______ Espagne. (l' / en)

CAROLE: Et après?

DAMIEN: J'ai passé une semaine ______ Portugal, et ensuite je suis allé ______ France. (la / en)

CAROLE: Et quel pays est-ce que tu as préféré?

DAMIEN: ______ France, bien sûr! (— / La)

B. Marc et Sophie ont acheté un billet de loto. Ils parlent de leurs projets.

MARC: Alors, est-ce que tu crois qu'on ______________? (gagne / gagnera)

SOPHIE: Oui, ______________ on a de la chance. (si / quand)

MARC: Dis, qu'est-ce que tu ferais si tu ______________ beaucoup d'argent? (as / avais)

SOPHIE: Je ______________. Et toi? (voyagerai / voyagerais)

MARC: Moi aussi.

Nom ______________________________

Classe ____________________ Date ____________

Troisième Partie: Expression personnelle

7. Un voyage (20 points)

In a paragraph, write about a trip abroad, real or imaginary, that you will take next winter. Use complete sentences. Mention:

- which countries you will go to (mention at least two countries)
- what day you will leave
- how you will travel (by train? by bus? will you rent a car?)
- what cities you will see (mention at least two cities)
- what else you will do
- what day you will come back

URB
p. 192

Nom ______________________________

Classe ____________________ Date ______________

UNITÉ 8 Listening Comprehension Performance Test

Partie A: Scènes et situations (40 points: 5 points per item)

Listen carefully to each sentence and determine whether it is related to Scene A, B, C, or D. Then circle the corresponding letter.

▶ A B C D

1. A B C D
2. A B C D
3. A B C D
4. A B C D
5. A B C D
6. A B C D
7. A B C D
8. A B C D

URB p. 193

Nom ____

Classe ______________________ Date ______________

Partie B: Conversations (30 points: 5 points per question)

You will hear six short conversations. These conversations are incomplete. Select the most logical CONTINUATION for each conversation and circle the corresponding letter.

1. Sophie téléphone à son cousin Thomas.
   Sophie répond:
   a. Je n'ai pas de sac à dos.
   b. Je n'ai pas d'argent.
   c. Je vais faire du camping ce week-end.

2. Nicolas et sa soeur Pauline font des projets de week-end.
   Pauline répond:
   a. On fera un pique-nique.
   b. On ira au ciné.
   c. On partira le matin.

3. Catherine et Jérôme parlent des vacances.
   Catherine répond:
   a. On louera une auto.
   b. On visitera New York.
   c. Nous verrons la Statue de la Liberté.

4. Béatrice et son cousin Julien ont décidé de faire un voyage au Canada. Ils sont maintenant à l'aéroport.
   Julien répond:
   a. J'ai acheté un aller et retour.
   b. J'ai décidé de voyager en première classe.
   c. J'ai oublié de le prendre.

5. Il est huit heures du matin. Monsieur Masson parle à sa femme.
   M. Masson répond:
   a. À six heures et demie.
   b. Après le déjeuner.
   c. Oui, j'ai cessé de travailler.

6. Armelle rencontre Pierre dans la rue.
   Pierre répond:
   a. J'irais chez lui.
   b. Je l'attendrais.
   c. Je lui téléphonerais.

Partie C: Contexte (30 points: 5 points per item of information)

Gare de Lyon
FICHE DE RÉSERVATION

Nom du voyageur: ______________________________

Destination: ______________________________

Départ: Date: ______________________________

Heure: ______________________________

Classe: ☐ **1ère** ☐ **2ème**

Type de billet: ☐ **aller** ☐ **aller et retour**

Nom ______________________________

Classe ______________________ Date ______________

Discovering FRENCH Nouveau!

BLANC

UNITÉ 8 Speaking Performance Test

Part I: Conversations

In this part of the Speaking Performance Test, I will describe a situation and then ask you some related questions. In your answers, use only the vocabulary and structures you have learned. Also use your imagination.

CONVERSATION A **UNITÉ 8**

I work in a travel agency. You come in to buy a plane ticket to Paris. Please answer my questions.

- Vous désirez, Monsieur (Mademoiselle)?
- Un aller simple ou un aller et retour?
- En première classe ou en classe touriste?
- Quel jour désirez-vous partir?

CONVERSATION B **UNITÉ 8**

I am your French pen pal, but we have never met. You are phoning to tell me that you will arrive in Paris next Sunday. I plan to come pick you up at Roissy airport, but I need some more information.

- Tu voyageras seul(e) *(alone)* ou en groupe?
- À quelle heure arriveras-tu à Paris?
- Combien de valises auras-tu?
- Quels vêtements porteras-tu?

CONVERSATION C **UNITÉ 8**

I am your Canadian pen pal. You are phoning to tell me that you are going to visit Canada this summer. Tell me more about your plans.

- Quel jour est-ce que tu arriveras au Canada?
- Combien de temps est-ce que tu resteras ici?
- Quelle(s) ville(s) est-ce que tu visiteras?
- Comment est-ce que tu voyageras quand tu seras au Canada?

Nom ______________________________

Classe ____________________ Date ____________

CONVERSATION D **UNITÉ 8**

You and I each bought a Student Eurailpass which allows us to travel throughout Europe by train. We are now planning our summer trip. I have some questions.

- Quel jour est-ce qu'on partira?
- Quel est le premier pays qu'on visitera?
- Où ira-t-on ensuite?
- Dans quels autres pays ira-t-on?

CONVERSATION E **UNITÉ 8**

You and I both love nature. We have decided to go camping next weekend, and we are now planning our trip. Let's decide what we will do.

- À quelle heure est-ce qu'on partira samedi matin?
- Où est-ce qu'on ira?
- Qu'est-ce qu'on fera quand on sera là-bas?
- À quelle heure est-ce qu'on rentrera dimanche?

CONVERSATION E **UNITÉ 8**

You and I like to dream about the future. Tell me what you would do if a rich aunt left you $100,000 in her will.

- Quelle est la première chose que tu achèterais?
- Quelle voiture aurais-tu?
- Qu'est-ce que tu ferais pour aider ta famille?
- Qu'est-ce que tu ferais pour aider tes copains?

Nom ______________________________

Classe ____________________ Date ____________

Part II: Tu as la parole

In this part of the Speaking Performance Test, you will have the opportunity to make four comments about a familiar topic. Use only the vocabulary and structures you have learned. Also use your imagination.

TU AS LA PAROLE (A) — UNITÉ 8

This weekend you are going on a camping trip with the French Club. Name four (4) items that you will take. For instance . . .

- a tent
- a sleeping bag
- a backpack
- a flashlight
- a pan
- a blanket
- a (portable) stove
- a frying pan

TU AS LA PAROLE (B) — UNITÉ 8

This summer you have the possibility to visit four (4) of the following countries. Which ones will you visit?

- Mexico
- Spain
- England
- Ireland
- Germany
- Switzerland
- Belgium
- Russia

TU AS LA PAROLE (C) — UNITÉ 8

This spring vacation you and your friend Philippe have been invited to spend two weeks with your uncle who lives in Montreal. Let Philippe know what he should do before the trip. Tell him . . .

- to buy his plane ticket
- to take his passport
- to pack his suitcase
- to bring his map of Montreal

Nom ______________________________

Classe ______________________ Date ______________

TU AS LA PAROLE (D) UNITÉ 8

You are traveling in France by train. Right now you are at the ticket counter at the **Gare de l'Est** in Paris on your way to Strasbourg. You are talking to the ticket agent.

- Say that you want a ticket for Strasbourg.
- Say that you want a one-way ticket.
- Say that you are traveling second class.
- Ask at what time the next train is leaving.

TU AS LA PAROLE (E) UNITÉ 8

Your family has decided to go camping near the ocean this summer. You phone your friend Isabelle to tell her the good news. Use the form **nous**. Tell her . . .

- that you will go to the ocean
- that you will be camping
- that you will rent a camping trailer
- what day you will come back

TU AS LA PAROLE (F) UNITÉ 8

Your French friend Amélie has informed you that she is going to visit the United States this summer. You want to know more about her plans. Ask her . . .

- when she will arrive in the United States
- how long she will stay
- if she will travel by car or by plane
- if she will come to your city

Nom ______________________________

Classe ____________________ Date ____________

Discovering FRENCH *Nouveau!*

BLANC

UNITÉ 8 Reading Comprehension Performance Test

DOCUMENTS

Read each document and then select the correct completion for each of the statements that follow. On your Answer Sheet, place a check next to the corresponding letter: a, b, or c.

CAMPING au bord de la rivière inc.

ROUTE 138 • LA MALBAIE • QUÉBEC
418.665.4991 418.665.2768 G5A 1M8

INFORMATIONS ET TARIFS

OUVERT DU 15 MAI AU 10 OCTOBRE

	tente	tente roulotte	roulotte
jour	12.00	14.00	14.00
sem.	72.00	84.00	84.00
mois	300.00	325.00	325.00
billet de saison: 15 mai au 1er oct.			475.00

1. On peut faire du camping ici . . .
   a. toute l'année.
   b. pendant les mois d'été.
   c. pendant les vacances d'hiver.

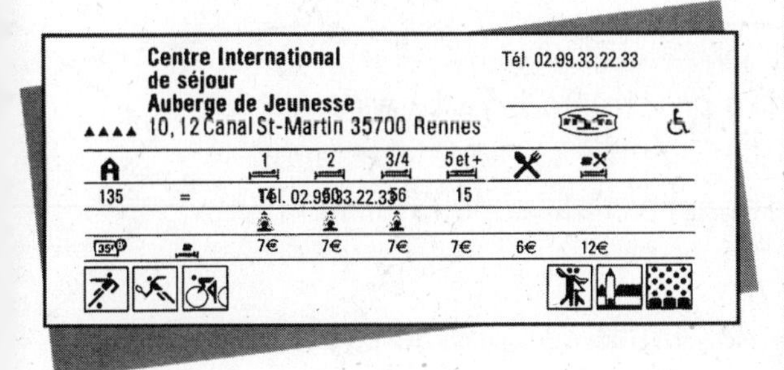

Centre International
de séjour
Auberge de Jeunesse
10, 12 Canal St-Martin 35700 Rennes
Tél. 02.99.33.22.33
1
2
3/4
5 et +
135
=
15
7€
7€
7€
7€
6€
12€

...un ciel pur, une mer bleue, des hôtels luxueux vous attendent.

La Tunisie:

Une terre. Des hommes.

2. En été, beaucoup de touristes étrangers visitent la France. Cette annonce propose un logement pour...
   a. les étudiants.
   b. les retraités *(retired people)*.
   c. les familles nombreuses.

3. Cette annonce touristique est pour . . .
   a. un hôtel.
   b. un pays.
   c. une station balnéaire *(ocean resort)*.

Nom ______________________________

Classe ____________________ Date ____________

52 Séjour d'une semaine à Rome

Voyage individuel
Départs les samedis du 12 avril au 25 octobre
700 €

Samedi : Départ de Paris gare de Lyon vers 18 h 50 en couchettes de 2e classe.
Dimanche : Arrivée à Rome vers 10 h. Transfert libre à l'hôtel.
Séjour en demi-pension jusqu'au samedi suivant.
Au cours du séjour sont prévues 2 visites de Rome de la demi-journée en autocar avec guide parlant français.
Samedi : Départ de Rome vers 18 h 30 en couchettes de 2e classe.
Dimanche : Arrivée à Paris gare de Lyon vers 10 h.

Prix par personne: 700€ comprenant :
- Voyage aller et retour en couchettes de 2e classe.
- 6 nuits dans un hôtel de 1re catégorie en demi-pension (chambre double avec douche ou bains).
- 2 excursions guidées dans Rome.

4. Cette annonce propose un voyage . . .
   a. en Espagne.
   b. en Italie.
   c. en Suisse.

5. Les personnes intéressées vont voyager . . .
   a. en train.
   b. en avion.
   c. en voiture.

Textes

Read each text for general understanding. Then select the correct completion for each of the statements that follow. On your Answer Sheet, place a check next to the corresponding letter: a, b, or c.

En préparation de notre prochaine arrivée à Paris, le capitaine Lafont vient d'allumer le signal lumineux. Nous demandons aux passagers d'attacher leur ceinture de sécurité.

L'arrivée à Paris–Charles de Gaulle est prévue pour huit heures trente-cinq, heure locale.

6. Ce message est adressé à des personnes qui voyagent. On entend ce message quand on est . . .
   a. dans une gare.
   b. dans un avion.
   c. dans un aéroport.

Fort-de-France, le 2 janvier

Mon cher Patrick,

Je suis content d'apprendre que tu viendras passer les vacances d'hiver chez moi. Il y a beaucoup de choses qu'on peut faire ici à la Martinique. Si tu veux, on fera de la plongée sous-marine. Tu n'auras pas besoin de louer d'équipement. Je te prêterai un tuba et un masque. Quand tu nageras sous l'eau, tu pourras admirer les magnifiques coraux et les poissons de toutes les couleurs.

Tu verras, c'est super!

Je t'attends,

ton copain Gaëtan

P.S. - N'oublie pas d'apporter ton maillot de bain!

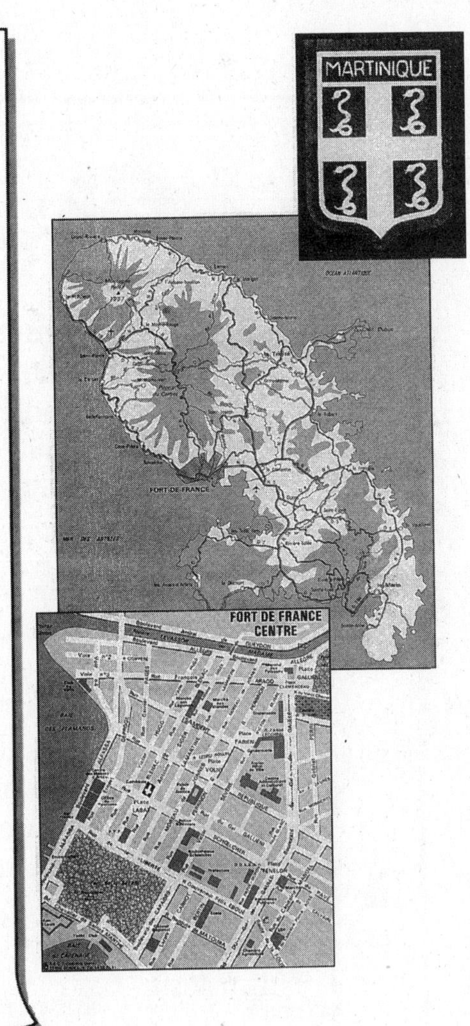

7. Dans la lettre, on apprend que Patrick . . .
   a. est en vacances.
   b. ira à la Martinique.
   c. n'aime pas nager.

8. La plongée sous-marine est un sport qu'on pratique généralement . . .
   a. à la mer.
   b. à la montagne.
   c. dans une piscine.

Nom ______________________________

Classe ____________________ Date ______________

L'EUROTUNNEL

Long de 50 kilomètres, l'Eurotunnel n'est pas le plus long tunnel du monde, mais c'est probablement le plus célèbre. Conçu sous Napoléon il y a deux cents ans, ce tunnel sous-marin a finalement été réalisé dans les années 1990 par un consortium franco-britannique. Grâce à l'Eurotunnel, on peut maintenant aller de Paris à Londres en 3 heures.

Il y a en réalité deux tunnels: un tunnel nord et un tunnel sud, permettant le traffic dans les deux sens. Ces tunnels sont exclusivement réservés au traffic ferroviaire avec des trains de passagers (le Trans-Manche-Super-Train ou TMST) et des trains de marchandises. Les automobilistes peuvent charger leur voiture sur les trains. Ces trains, qui ont une capacité de 150 voitures, partent toutes les quinze minutes. Ils peuvent rouler à une vitesse de 160 kilomètres à l'heure et relient la France et l'Angleterre en vingt minutes.

L'Eurotunnel est une voie internationale très importante. Il permet le passage de 30 millions de voyageurs par an.

9. L'Eurotunnel est un tunnel entre la France et . . .
   a. l'Allemagne.
   b. l'Espagne.
   c. l'Angleterre.

10. Une personne qui veut aller de Paris à Londres en auto doit . . .
   a. avoir un passeport spécial.
   b. mettre sa voiture sur un train.
   c. prendre un billet aller et retour.

Nom ______________________

Classe ______________________ Date ______________________

UNITÉ 8 Writing Performance Test

1. À l'agence de tourisme (20 points: 2 per item)

You are preparing an ad for *Mond'Tour*, a French travel agency. Complete the ad copy below by filling in the boxes with *ten countries of your choice* that people can visit in each of the areas listed. Be sure to use the appropriate DEFINITE article.

VOYAGEZ AVEC MOND'TOUR

Le Spécialiste du Tourisme International

Visitez . . .

Amérique du Nord et du Sud	•	•
Asie	•	•
Afrique et Moyen Orient	•	•
Europe	• •	• •

2. Samedi après-midi (15 points: 5 per sentence)

It is Saturday noon and you have decided to go downtown. Since your parents are out, write them a note telling them what you are going to do. Use the future tense.

- Say where you will go and what you will do.
- Say what you will do after that.
- Say at what time you will be back.

Cet après-midi, je vais sortir.

•

•

•

Nom ______________________________

Classe ____________________ Date ____________

3. À Strasbourg (30 points: 6 per sentence)

You are accompanying a group of students who are touring France. It is your job to post each day's program of activities. Tomorrow, July 10, you will visit Strasbourg. Write five sentences describing the program of the day according to the information given. Use **nous** and the FUTURE TENSE.

10 juillet:
Visite de Strasbourg

- Transport: autobus
- Départ: 8 h 30
- Matin: Promenade dans la Vieille Ville
- Déjeuner: «Chez Hansi»
- Après-midi:
  - visite de la cathédrale
  - shopping
- Retour à l'hôtel: 19 h 00
- Soir: film documentaire sur l'Alsace

Journée du 10 juillet
Demain nous visiterons Strasbourg.

- Nous ______________________________
- ______________________________
- ______________________________
- ______________________________
- ______________________________

4. Un voyage à l'étranger (15 points: 3 per sentence)

Mention three things that you *would do* if you were taking a trip abroad this summer. You may use the following verbs or other verbs of your choice. Write your description in the CONDITIONAL.

voyager
visiter
rencontrer
louer
rester
acheter
aller
voir
faire

Si je faisais un voyage à l'étranger cet été . . .

- ______________________________
- ______________________________
- ______________________________

URB p. 204

Nom ___________________________________

Classe ____________________ Date ______________

Discovering FRENCH Nouveau!

BLANC

5. Composition libre (20 points: 4 points per sentence)

Choose one of the following topics and write a short paragraph of five sentences.

A You are going to visit France this summer. Write your friend Claire a short letter describing your plans for the trip.

B Your friend Florence is going to visit you this weekend. Write her a short note telling her what you will do together when she comes.

C You just bought a raffle ticket organized by the French Club. The first prize is a trip to a French-speaking country of your choice: any country except France. Describe where you would go and what you would do if you were to win the raffle.

Nom ____

Classe ___________________________ Date _______________ _______________

UNIT 8 Multiple Choice Test Items

Leçon 29

1. Toute ma famille aime nager, alors pour les vacances, nous allons ________.
   a. à la montagne
   b. à la campagne
   c. à la mer

2. —Vous allez passer deux semaines là-bas?
   —Oui, je vais y retourner dans ________.
   a. quinze jours
   b. huit jours
   c. vingt jours

3. Sophie va faire du camping. Elle va loger ________.
   a. dans une villa
   b. dans une tente
   c. chez des amis

4. Quand nous faisons du camping, nous préparons nos repas sur ________.
   a. un réchaud
   b. un sac à dos
   c. un sac de couchage

5. Ma famille a ________ pour loger à la campagne.
   a. une carte
   b. une villa
   c. une couverture

6. Ils n'ont pas de tente. Alors, ils vont louer ________ pour faire du camping.
   a. une villa
   b. une valise
   c. une caravane

7. Pour voir la nuit, il est utile d'avoir ________.
   a. une lampe de poche
   b. une couverture
   c. une poêle

8. J'aime faire de la marche à pied. Je mets toutes mes affaires dans ________.
   a. une casserole
   b. un sac à dos
   c. une carte

9. Nous allons en Europe cet été. Nous allons visiter ________.
   a. l'Égypte
   b. l'Espagne
   c. la Corée

10. —Je vais passer huit jours en France.
    —Quand est-ce que tu pars pour faire ton ________?
    a. voyage
    b. séjour
    c. région

11. L'Asie est un très grand ________.
    a. état
    b. pays
    c. continent

12. Ma soeur a fait un séjour dans ________ Belgique.
    a. la
    b. le
    c. les

13. Pauline a envie de faire un voyage en Afrique. Elle a décidé de visiter ________ Sénégal.
    a. la
    b. les
    c. le

14. Pour voir le Palais de Buckingham, je vais visiter ________.
    a. les États-Unis
    b. l'Angleterre
    c. le Portugal

15. L'année dernière, Marc est monté à la Tour Eiffel quand il a visité ________ France.
    a. le
    b. en
    c. la

16. As-tu jamais visité ________ Mexique?
    a. le
    b. la
    c. les

17. Nous allons voyager en train. Il faut acheter ________.
    a. un horaire
    b. un plan
    c. un billet

18. —Tu vas faire un séjour à l'étranger. Est-ce que tu vas revenir?
    —Oui, je vais acheter ________.
    a. un aller et retour
    b. un aller simple
    c. un aller

19. —À quelle heure part le train?
    —Je ne sais pas. Il faut regarder ________.
    a. la gare
    b. l'horaire
    c. le train

20. Mes cousins sont allés en Amerique du Sud. Ils ont visité ________.
    a. la Chine
    b. le Brésil
    c. le Guatemala

Leçon 30

1. As-tu fais un séjour ________ France?
    a. au
    b. en
    c. dans

2. Ils ont passé quinze jours ________ Canada.
    a. au
    b. en
    c. dans

3. Mes voisins reviennent ________ Sénégal demain.
    a. du
    b. de
    c. à

4. Et la soeur de Christine revient ________ Suisse.
    a. du
    b. de
    c. à

5. Quand est-ce que les étudiants français viennent ________ États-Unis?
    a. en
    b. dans
    c. aux

6. De temps en temps, je ________ des cartes postales des amis qui voyagent.
    a. reçoit
    b. reçois
    c. reçoivent

7. Elle ________ beaucoup de courrier tous les jours.
    a. reçoit
    b. reçois
    c. reçoivent

8. De notre hôtel en Suisse, nous ________ les Alpes.
    a. aperçoit
    b. aperçoivent
    c. apercevons

9. Ils ________ la Basilique de Sacré Coeur.
    a. aperçoivent
    b. apercevez
    c. aperçoit

10. As-tu ________ une lettre de Sylvie?
    a. reçois
    b. recevoir
    c. reçu

11. Vous ________ beaucoup de cadeaux!
    a. reçoivent
    b. reçu
    c. recevez

12. J'ai un copain qui habite ________ Haiti.
    a. au
    b. à
    c. en

13. À la mer, ma soeur va apprendre à ________.
    a. nage
    b. nager
    c. nagé

Nom ______________________________________ **Discovering FRENCH** *Nouveau!*

Classe ______________________ Date ______________ BLANC

14. Sophie commence à ________ assez bon en japonais.
    a. être
    b. est
    c. été

15. Mon père a réussi ________ réparer notre tente.
    a. de
    b. à
    c. en

16. Alice ne veut pas ________ conduire.
    a. apprend
    b. apprendre
    c. apprendre à

17. J'essaie ________ finir tous mes devoirs avant le film.
    a. de
    b. à
    c. en

18. Est-ce que vous cessez de ________?
    a. fumez
    b. fume
    c. fumer

19. Mon frère rêve d' ________ une belle moto.
    a. a
    b. avoir
    c. avez

20. J'ai oublié ________ prendre une lampe de poche avec moi!
    a. à
    b. en
    c. de

Leçon 31

1. L'été prochain, je ________ la France avec ma famille.
    a. visite
    b. visité
    c. visiterai

2. Et toi? Est-ce que tu ________ en été aussi?
    a. voyageras
    b. voyager
    c. voyages

3. En France, j'________ de petits cadeaux à mes copains.
    a. acheterai
    b. achèterai
    c. achètes

4. Pour aller en Italie, ________-nous le train?
    a. prendrez
    b. prendras
    c. prendrons

5. Marie a de la chance! Elle ________ en Irlande pendant les vacances.
    a. aller
    b. irai
    c. ira

6. Je ne ________ pas ici pour la boum de Philippe.
    a. serai
    b. ferai
    c. aurai

7. Tu ________ Notre Dame, n'est-ce pas?
    a. iras
    b. verras
    c. seras

8. Les Dumas ________ un voyage en Inde.
    a. feront
    b. seront
    c. verront

9. Si j'ai de l'argent, je ________ un voyage à l'étranger.
    a. fais
    b. fait
    c. ferai

10. Si tu ________ tout ce chocolat, tu auras mal au ventre.
    a. mangeras
    b. mange
    c. manges

11. Quand j'irai à l'université, j'________.
    a. étudierai
    b. étudie
    c. étudié

12. Quand nous ________ à Paris, nous prendrons le métro.
    a. sommes
    b. êtes
    c. serons

13. Si Marcel reçoit une lettre de Susanne, il ne ________ pas.
    a. répond
    b. répondra
    c. répondras

14. J'ai un chat qui ne ________ pas sortir s'il pleut.
    a. veut
    b. voudra
    c. voulait

15. Mes cousins ________ demain!
    a. viennent
    b. venaient
    c. viendront

16. Demain, Paul ________ s'il peut venir avec nous.
    a. sait
    b. saurai
    c. saura

17. Quand est-ce que tu ________?
    a. reviendrai
    b. reviendra
    c. reviendras

18. Quand nous ________ du camping, nous ferons de la marche à pied.
    a. ferons
    b. faisons
    c. faire

19. Ce soir, Paul m'________ un mail.
    a. envoyait
    b. envoies
    c. enverra

20. S'il fait beau, nous ________ à la campagne pour faire un pique-nique.
    a. allons
    b. ferons
    c. irons

Leçon 32

Complete with the appropriate conditional form of the verb.

1. Mon père ________ au Japon.
   a. irai
   b. ira
   c. irait

2. Je ________ une robe en soie.
   a. choisirais
   b. choisirai
   c. choisira

3. Mon frère ________ une moto.
   a. achètera
   b. achèterais
   c. achèterait

4. Nous ________ la Tour Eiffel, bien sûr.
   a. verrons
   b. verrions
   c. verrez

5. Tu ________ riche!
   a. seras
   b. serais
   c. serait

6. Vous ________ chaque été.
   a. voyagerez
   b. voyageront
   c. voyageriez

7. Je ________ de la voile.
   a. ferais
   b. ferai
   c. fera

8. Nous ________ l'été au bord de la mer.
   a. passerons
   b. passerions
   c. passons

Make the following requests more politely.

9. Je veux te demander quelque chose.
   a. Je voulais te demander quelque chose.
   b. Je voudrais te demander quelque chose.
   c. Je voudrai te demander quelque chose.

Nom ______________________________

Classe ____________________ Date ____________

10. Tu dois m'écouter!
    a. Tu devais m'écouter!
    b. Tu as du m'écouter!
    c. Tu devrais m'écouter!

11. Peux-tu m'aider?
    a. Pourrais-tu m'aider?
    b. Pourras-tu m'aider?
    c. Pouvais-tu m'aider?

Complete as necessary.

12. Si nous étions en France, nous ________ voir le Sacré Coeur.
    a. allons
    b. irons
    c. irions

13. Si François avait l'argent, il ________ une voiture de sport.
    a. achètera
    b. achèterait
    c. achète

14. Si je ________ au Loto, j'aiderais les pauvres.
    a. gagne
    b. gagnerait
    c. gagnais

15. Si tu ________, tu réussirais à tes examens.
    a. étudiais
    b. étudieras
    c. étudies

16. Quand vous ferez du camping, tu ________ bien.
    a. dormais
    b. dormirais
    c. dormiras

17. Si j'étais le professeur, je ne ________ pas trop de devoirs aux élèves.
    a. donnerais
    b. donnerai
    c. donnais

18. Si nous avions le temps, nous ________ au téléphone tous les soirs!
    a. parlerons
    b. parlions
    c. parlerions

19. Si je pouvais, je ________ du jogging.
    a. fais
    b. ferai
    c. ferais

20. S'il pleut, nous n'________ pas à la plage.
    a. allons
    b. irons
    c. irions

Speaking Performance Test Scoring Sheet

Unit 8

Name ______________________________ **Class** ____________________

PART 1: Conversations: A B C D E F (circle one)

	A	**B**	**C**	**D**	**F**	**O**
Question 1						
Comprehension	5	4	3	2	1	0
Oral Response	10	9	8	7	4	0
Question 2						
Comprehension	5	4	3	2	1	0
Oral Response	10	9	8	7	4	0
Question 3						
Comprehension	5	4	3	2	1	0
Oral Response	10	9	8	7	4	0
Question 4						
Comprehension	5	4	3	2	1	0
Oral Response	10	9	8	7	4	0
PART 2: Tu as la parole: A B C D E F (circle one)						
First Response	10	9	8	7	4	0
Second Response	10	9	8	7	4	0
Third Response	10	9	8	7	4	0
Fourth Response	10	9	8	7	4	0
Overall Fluency	10	9	8	7	4	0

TOTAL SCORE _______ + _______ + _______ + _______ + _______ = _______

COMMENTS:

SCORING CRITERIA

	Comprehension	*Oral Response*	*Overall Fluency*
A	answered question after hearing it once at normal speed	creative, extensive response comprehensible to native speaker	spoke easily with no hesitation
B	answered question after hearing it repeated at slower speed	appropriate response comprehensible to native speaker	spoke with some hesitation
C	answered question after having it clarified or reworded	appropriate response, but only comprehensible to native speaker accustomed to foreigners	spoke with frequent hesitations
D	answered question after two repetitions or rewordings	partially appropriate response or response that is very difficult to understand	spoke haltingly with many starts and stops
F	misunderstood question	inappropriate response	spoke only a word or two
O	did not try to understand	did not respond	did not respond

Nom ____________________

Classe ____________________ Date ____________________

UNITÉ 8 Reading Comprehension Performance Test Answer Sheet

1. a. ____	2. a. ____	3. a. ____	4. a. ____	5. a. ____
b. ____	b. ____	b. ____	b. ____	b. ____
c. ____	c. ____	c. ____	c. ____	c. ____
6. a. ____	7. a. ____	8. a. ____	9. a. ____	10. a. ____
b. ____	b. ____	b. ____	b. ____	b. ____
c. ____	c. ____	c. ____	c. ____	c. ____

UNIT TEST 8 (Lessons 29, 30, 31, 32)

FORM A

Première Partie: Compréhension

CD 22, Track 5

1. La réponse logique (20 points)

You will hear a series of questions. Listen carefully to each question and select the most logical answer. On your test sheet, circle the corresponding letter: a, b, or c. You will hear each question twice.

Vous allez entendre une série de questions. Écoutez bien chaque question et choisissez la réponse logique à cette question. Marquez la lettre correspondante—a, b ou c—avec un cercle. Chaque question sera répétée.

Modèle: Où vas-tu passer les vacances?
La réponse correcte est **"c": À la campagne.**

Maintenant, commençons.

Un. Qu'est-ce que tu vas faire à la mer?

Deux. Où vas-tu loger?

Trois. Vous allez prendre le train?

Quatre. Qu'est-ce qu'il y a dans cette valise?

Cinq. Dis, Sophie, pourquoi est-ce que tu achètes un réchaud?

Six. Pourquoi est-ce que tu as besoin d'un passeport?

Sept. Quels pays est-ce que vous allez visiter?

Huit. Mélanie veut faire des progrès en anglais. Quel pays est-ce qu'elle va visiter?

Neuf. Vous voulez un aller simple?

Dix. À quelle heure part le train pour Nice?

BLANC

UNIT TEST 8 (Lessons 29, 30, 31, 32) FORM B

Première Partie: Compréhension

CD 22, Track 6

1. La réponse logique (20 points)

You will hear a series of questions. Listen carefully to each question and select the most logical answer. On your test sheet, circle the corresponding letter: a, b, or c. You will hear each question twice.

Vous allez entendre une série de questions. Écoutez bien chaque question et choisissez la réponse logique à cette question. Marquez la lettre correspondante—a, b ou c—avec un cercle. Chaque question sera répétée.

Modèle: Où vas-tu passer les vacances?
La réponse correcte est **"c": À la campagne.**

Maintenant, commençons.

Un. Qu'est-ce que tu vas faire à la montagne?

Deux. Où vas-tu loger?

Trois. Qu'est-ce que vous avez mis dans cette valise?

Quatre. Où est-ce que vous allez dormir?

Cinq. Pourquoi avez-vous besoin d'un passeport?

Six. Quels pays est-ce que vous allez visiter cet été?

Sept. Valérie veut faire des progrès en espagnol. Quel pays est-ce qu'elle va visiter?

Huit. Vous voulez un aller et retour?

Neuf. Est-ce que tu vas aller à Québec en voiture?

Dix. À quelle heure part le train pour Strasbourg?

Listening Comprehension Performance Test

CD 22, Track 7

Partie A: Scènes et situations

Look at the illustrations on your test sheet. You will hear fragments of conversations related to these scenes. Listen carefully to each sentence and determine whether it is related to Scene A, B, C, or D. Then circle the corresponding letter. You will hear each sentence twice. First, listen to the example. Écoutez le modèle.

▶ Je voudrais un billet aller et retour pour Paris.

You should have circled **C**. Let's begin. Commençons.

1. Le train de Toulouse partira à 17 heures 42.
2. Généralement je voyage en seconde classe.
3. Pour faire la cuisine, on a besoin d'un réchaud.
4. D'habitude je vais à la montagne, mais cette année, j'irai à la mer.
5. C'est la première fois que mon cousin fait un voyage à l'étranger.
6. Après l'Angleterre, il visitera l'Irlande.
7. S'il fait froid, nous dormirons dans nos sacs de couchage.
8. Pauline a une valise et un sac à dos.

CD 22, Track 8

Partie B: Conversations

You will hear six short conversations. These conversations are incomplete. Select the most logical CONTINUATION for each conversation and circle the corresponding letter. You will hear each conversation twice. Let's begin. Écoutez.

1. Sophie téléphone à son cousin Thomas.

THOMAS: Allô?
SOPHIE: Salut, Thomas. Dis, est-ce que je peux te demander quelque chose?
THOMAS: Bien sûr, qu'est-ce que je peux faire pour toi?
SOPHIE: Est-ce que tu peux me prêter ton sac de couchage?
THOMAS: D'accord! Pourquoi est-ce que tu en as besoin?

Listen again and check your answer. Écoutez à nouveau et vérifiez votre réponse.

2. Nicolas et sa soeur Pauline font des projets pour le week-end.

NICOLAS: Qu'est-ce qu'on va faire ce week-end?
PAULINE: Ça dépend. S'il fait beau, on peut faire une promenade à vélo.
NICOLAS: Oui, mais s'il fait mauvais, qu'est-ce qu'on fera?

Écoutez à nouveau et vérifiez votre réponse.

3. Catherine et Jérôme parlent des vacances.

CATHERINE: Qu'est-ce que tu vas faire cet été?
JÉRÔME: Je vais aller à la mer avec mes parents. Et toi?
CATHERINE: Moi, je vais aller aux États-Unis avec mes cousins.
JÉRÔME: Formidable! Comment est-ce que vous voyagerez quand vous serez là-bas?

Écoutez à nouveau et vérifiez votre réponse.

4. Béatrice et son cousin Julien ont décidé de faire un voyage au Canada. Ils sont maintenant à l'aéroport. Béatrice demande à Julien:

BÉATRICE: Où sont tes valises?
JULIEN: Elles sont là.
BÉATRICE: Et tu as ton billet d'avion?
JULIEN: Attends une minute . . . Oui, il est là, dans ma veste.
BÉATRICE: Tu as ton passeport aussi?
JULIEN: Oh là là, mon dieu!
BÉATRICE: Qu'est-ce qu'il y a?

Écoutez à nouveau et vérifiez votre réponse.

5. Il est huit heures du matin. Monsieur Masson parle à sa femme.

M. MASSON: Est-ce que tu veux dîner au restaurant ce soir?
MME MASSON: Oui, c'est une bonne idée. Quand est-ce que nous partirons?
M. MASSON: Eh bien, quand je rentrerai du bureau.
MME MASSON: À quelle heure est-ce que tu finiras de travailler aujourd'hui?

Écoutez à nouveau et vérifiez votre réponse.

6. Armelle rencontre Pierre dans la rue.

ARMELLE: Où vas-tu?
PIERRE: Je vais chez Jérôme.
ARMELLE: Tu es sûr qu'il est chez lui?
PIERRE: Je ne sais pas. Je ne lui ai pas téléphoné.
ARMELLE: Qu'est-ce que tu ferais s'il n'était pas là?

Écoutez à nouveau et vérifiez votre réponse.

CD 22, Track 9

Partie C: Contexte

Cécile Chavez lives in Paris. Her aunt has invited her to come visit her in Switzerland for spring vacation. Cécile is phoning the station to reserve her ticket. Listen to the conversation between Cécile and the ticket agent at the **Gare de Lyon**. Although you may not understand every word of the conversation, you should be able to understand most of it. Écoutez.

AGENT: Ici Gare de Lyon, service des réservations. Bonjour!
CÉCILE: Bonjour, monsieur. Je voudrais aller à Genève et j'aimerais savoir s'il y a des trains le matin.
AGENT: Pour quel jour, mademoiselle?
CÉCILE: Pour le 28 mars.
AGENT: Voyons, le 28 mars . . . C'est un vendredi. Il y a deux trains pour Genève, un train qui part à 8 heures 30 et un autre train qui part à 9 heures 45.
CÉCILE: Je voudrais prendre le train de 9 heures 45. Est-ce que je peux réserver?
AGENT: Bien sûr, mademoiselle. C'est à quel nom?
CÉCILE: Chavez. Cécile Chavez.
AGENT: Pardon, mademoiselle. Vous avez dit «Chavé» ou «Chavez»?
CÉCILE: Chavez, avec un «zed».
AGENT: Très bien . . . Vous voulez voyager en première ou en seconde classe?
CÉCILE: En seconde classe.
AGENT: C'est un aller simple?
CÉCILE: Non, un aller et retour.
AGENT: Bon . . . Je vous prépare votre billet de train pour le Paris-Genève du 28 mars à 9 heures 45.
CÉCILE: Merci, monsieur. Quand est-ce que je peux venir chercher mon billet?
AGENT: Vous pouvez le prendre une heure avant le départ du train.
CÉCILE: Merci.
AGENT: À votre service, mademoiselle. Au revoir.
CÉCILE: Au revoir, monsieur.

Now imagine that you are the reservation agent at the **Gare de Lyon**. As you listen to the dialogue a second time, fill out all the necessary information of the reservation form. Écoutez et écrivez.

Now listen one last time to check what you have written. Écoutez une dernière fois.

URB
p. 216

BLANC

UNITÉ 8 ANSWER KEY

Video Activities

Leçon 29

Le français pratique: Les vacances et les voyages (Pages 23–26)

Activité 1. Anticipe un peu!
Answers will vary.

Activité 2. Vérifie!
1. b
2. b
3. a
4. b
5. c

Activité 3. La réponse logique
1. d
2. f
3. b
4. h
5. e
6. c

Activité 4. Vrai ou faux?
1. faux
2. faux
3. faux
4. vrai
5. faux

Activité 5. Voyages à l'étranger
1. a
2. b
3. c
4. a
5. b

Activité 6. Vous avez compris?
1. a
2. b
3. b
4. a
5. a

Activité 7. Les voyages
Answers will vary.

Activité 8. Mes vacances préférées
Answers will vary.

Leçon 30

Les collections de Jérôme (Pages 59–65)

Activité 1. Et toi?
Answers will vary.

Activité 2. Anticipe un peu!
The right answer is c.

Activité 3. Où vont Pierre et Armelle?
1. b
2. c
3. a
4. a
5. c

Activité 4. La note
Jérôme, cinq

Activité 5. Des trucs intéressants
1. d
2. a
3. b

Activité 6. Les objets de Jérôme
1. faux
2. faux
3. vrai

Enrichis ton vocabulaire

A. une chose B. un objet
Armelle: Tu plaisantes! Mais alors, tous ces trucs, où est-ce qu'il les a trouvé?
Pierre: Au Marché aux Puces. Jérôme y achète des tas de trucs bizarres.

Expressions pour la conversation

A. "No kidding! (Really?)"
B. "Are you joking (kidding)?"

Activité 7. Tu plaisantes!
Answers will vary.

Activité 8. Tu es collectionneur/collectionneuse!
Answers will vary.

Leçon 31

Projet de voyage (Pages 96–101)

Activité 1. Tu te rappelles?
1. sont
2. mais
3. alors
4. objets
5. dans

Activité 2. Vérifie!
1. sont
2. mais
3. alors
4. objets
5. dans

Activité 3. Pour quand?
Students should circle *samedi.*

Activité 4. L'idée de Jérôme
Scène 1
a. 2
b. 3
c. 4
d. 1

Scène 2
e. 1
f. 4
g. 2
h. 3

Tu as bien compris?

Clocks should show:
1. 8:15
2. 8

Activité 5. Rappel!
a. 2
b. 2
c. 1
d. 2
e. 1
f. 2
g. 3
h. 2

Expression pour la conversation

"On the dot (sharp)."

Activité 6. À huit heures pile!
Answers will vary.

Activité 7. Le bon verbe

```
   P          V
  IRA    ACHETERAI
   E F  S     R
   N E  E     R
   D RETROUVERA
POURRA  E
   A    Z
```

Activité 8. La note de Pierre
Answers will vary. Sample answer:
. . . Jérôme achètera les billets et nous le retrouverons à huit heures à la gare. À Genève, nous ferons le tour du lac en bateau, et Jérôme visitera peut-être le musée d'art et d'histoire. Ensuite, on verra bien! Il y a beaucoup de choses à faire à Genève.

Activité 9. Allons à Genève!
Answers will vary. Sample answer:
Je voyagerai à Genève.
Tu achèteras les billets.
Pierre regardera le jet d'eau.
On se promènera au parc.
Jérôme et moi, nous visiterons les banques.
Elles prendront le train.
Armelle fera le tour du lac.
Ils partiront à 8h15.
Vous irez à la gare.

Flash Culturel!

b. Mail-order catalog. Les 3 Suisses is a French company which offers clothing and household items to customers through mail, telephone and online orders.

Leçon 32

À la gare (Pages 133–138)

Activité 1. Aperçu culturel . . . de la Suisse!
1. La Confédération Helvétique
2. 7 millions d'habitants
3. république fédérale
4. l'allemand, le français, l'italien et le romanche
5. est un peu différent du français de France
6. vallées, et montagnes: les Alpes
7. Henri Dunant, Louis Chevrolet
8. est située dans la partie française. C'est le siège de la Croix Rouge Internationale et de certaines agences des Nations Unies.

Activité 2. Genève
a. 8
b. 4
c. 6
d. 1
e. 7
f. 2
g. 5
h. 3

Activité 3. Les photos de Genève
a. la finance
b. un beau parc
c. les grands bâtiments modernes
d. le lac Leman
e. l'horlogerie
f. les Alpes et le Jura
g. le jet d'eau
h. la Vieille Ville

Activité 4. À la gare
1. b
2. c
3. a

Activité 5. Où est Jérôme?
1. billets
2. pile
3. cinq
4. train
5. Jérôme

Activité 6. En français, s'il te plaît!
1. un musée d'art
2. un champion de parapente
3. une copine d'université
4. un chapeau de cowboy
5. un jet d'eau

jeter = to throw (spurt). Therefore, **un jet d'eau** throws or spurts water into the air.

Activité 7. Sur le quai
1. serait
2. achèterait
3. ferait
4. expliquerait
5. donnerait

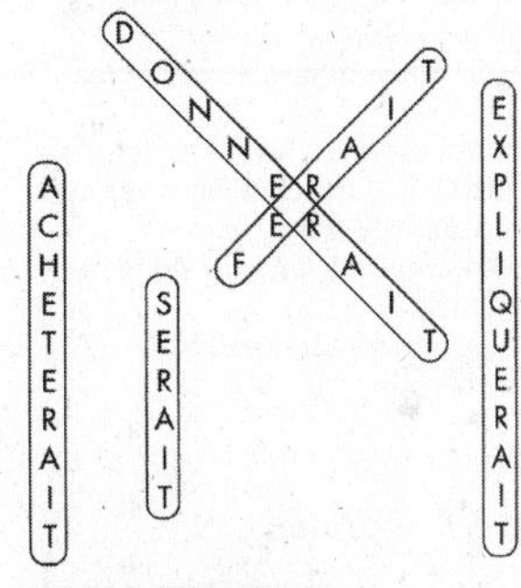

Activité 8. Si j'étais Jérôme . . .
Answers will vary. Sample answer:
1. J'achèterais les billets.
2. Je me lèverais.
3. Je me brosserais les dents et je m'habillerais.
4. Je partirais de chez moi.
5. J'arriverais à la gare.
6. Je monterais dans le train.

Lesson Quizzes

Quiz 29

Part I: Listening

A. Conversations (30 points: 5 points each)
1. b
2. c
3. a
4. a
5. b
6. c

Part II: Writing

B. Géographie (18 points: 3 points each)
1. le Japon
2. les États-Unis
3. l'Angleterre
4. l'Allemagne
5. la Russie
6. la Suisse

C. Camping (6 points: 2 points each)
Three of the following: un sac à dos / une tente / un sac de couchage / une lampe de poche / une couverture / un réchaud / une casserole / une poêle

D. Dialogues (16 points: 4 points each)
1. un voyage
2. un aller simple
3. une carte
4. valises

E. Expression personnelle (30 points: 5 points each)
Answers will vary. Sample answers:
- Je préfère aller à la montagne (à la mer).
- Je préfère faire du camping (rester à l'hôtel).
- Je préfère transporter mes affaires dans un sac à dos (dans une valise).
- Oui, j'ai voyagé à l'étranger. (Non, je n'ai pas voyagé à l'étranger.)
- Je voudrais visiter l'Irlande et la Suisse.
- Je voudrais visiter l'Égypte et le Brésil.

Quiz 30

Part I: Listening

A. Conversations (30 points: 5 points each)
1. c
2. a
3. b
4. c
5. b
6. c

Part II: Writing

B. Un voyage autour du monde (20 points: 2 points each)
au / aux / des / au / la / de / en / au / l' / en

C. En vacances (30 points: 3 points each)
1. décide de
2. rêve de
3. oublie d'
4. apprend à
5. commence à
6. continue
7. réussit à
8. refuse de
9. hésite à
10. finit de

D. Expression personnelle (20 points: 5 points each)
Answers will vary. Sample answers:
- Oui, je reçois souvent des lettres de ma cousine.
- (Non, je ne reçois pas souvent de lettres.)
- J'ai reçu des CD et une chemise pour mon anniversaire l'année dernière.
- J'essaie d'apprendre à faire du ski et de jouer du piano.
- J'ai arrêté de jouer au football et de me coucher à onze heures.

Quiz 31

Part I: Listening

A. Conversations (30 points: 5 points each)
1. a
2. c
3. b
4. c
5. c
6. b

Part II: Writing

B. Une semaine à Paris (20 points: 4 points each)
1. visiteras
2. prendrai
3. choisirons
4. écrira
5. sortirez

C. Cet été (20 points: 4 points each)
1. aura
2. fera
3. viendra
4. ira
5. sera

D. Projets de voyage (10 points: 2 points each)
1. Si
2. Quand
3. Quand
4. Si
5. Quand

E. Expression personnelle (20 points: 5 points each)
Answers will vary. Sample answers:
- J'irai en France.
- Je partirai le premier juillet.
- Je verrai la tour Eiffel et le Centre Pompidou.
- Je rentrerai le 31 juillet.

Quiz 32

Part I: Listening

A. Conversations (30 points: 5 points each)
1. a
2. c
3. b
4. c
5. a
6. b

Part II: Writing

B. S'il faisait chaud . . . (40 points: 4 points each)
1. nagerions
2. jouerait
3. travaillerait
4. prendrais
5. sortiraient
6. irais
7. feriez
8. verrions
9. serais
10. se promènerait

C. Si . . . (10 points: 2 points each)
1. j'étais
2. j'achèterais
3. sortais
4. irions
5. prêterait

D. Expression personnelle (20 points: 5 points each)
Answers will vary. Sample answers:
- Je dormirais jusqu'à onze heures.
- J'irais à la plage tous les jours.
- Je n'étudierais pas.
- Je ne me coucherais pas à neuf heures.

Communipak

Interviews

Answers will vary. Sample answers:

Interview 1

J'habite dans le sud.
J'habite dans la Floride.
Les états voisins sont la Géorgie et l'Alabama.
Non, je n'ai pas habité dans un autre état.

Interview 2

Oui, je suis allé(e) en France l'année dernière.
J'aimerais aller en Italie et en Espagne.
J'aimerais passer les vacances à Tahiti.
J'aimerais visiter l'Argentine et le Japon.

Interview 3

Oui, j'ai un sac de couchage.
J'ai aussi une tente, un sac à dos et un réchaud.
Oui, j'ai déjà fait du camping à la montagne et à la plage.
Je suis resté(e) quatre jours à la montagne et une semaine à la plage.

Interview 4

Je suis allé(e) en Californie.
J'ai voyagé en avion.
Je suis resté(e) là-bas une semaine.
Je suis resté(e) dans un hôtel.

Interview 5

J'irais à la mer.
Je ferais un voyage à l'étranger.
Je voyagerais en avion.
Pendant ce voyage, je ferais de la natation et de la planche à voile.

Interview 6

Nous visiterions Paris et Lyon.
Nous louerions une voiture.
Nous resterions en France deux semaines.
Pendant le voyage, nous visiterions des monuments et des châteaux.

Interview 7

J'irai au centre commercial.
J'irai au cinéma avec des copains.
Je me lèverai à onze heures.
Je ferai du vélo.

Interview 8

Je serai célibataire.
Je louerai un appartement.
Je serai journaliste.
J'aurai une BMW.

Tu as la parole

Tu as la parole 1

Answers will vary. Sample answers:
Je vais apporter une tente, des sacs de couchage, une poêle et des sacs à dos.

Tu as la parole 2

Answers will vary. Sample answers:
J'aimerais visiter l'Espagne et la France. Je ne vais pas visiter l'Allemagne et la Russie.

Tu as la parole 3

Achète ton billet d'avion.
Obtiens un passeport.
Fais ta valise.
Prends une carte de la région.

Tu as la parole 4

Je veux acheter un billet pour Nice.
Je voudrais un aller et retour.
Je voyage en touriste.
À quelle heure part le prochain avion?

Tu as la parole 5

Answers will vary. Sample answers:
Nous irons à la montagne.
Nous ferons du camping.
Nous louerons une caravane.
Nous partirons le 13 juillet et nous retournerons le 22 juillet.

Tu as la parole 6

Answers will vary. Sample answers:
Quand est-ce que tu arriveras à Washington?
Quand est-ce que tu viendras chez moi?
Est-ce que tu voyageras au Grand Canyon en train ou en avion?
Combien de temps est-ce que tu resteras aux États-Unis?

Conversations

Answers will vary. Sample answers:

Conversation 1

Questions:
Est-ce que tu as un sac à dos?
Est-ce que tu as un sac de couchage?
Combien de couvertures est-ce que tu prendras?
Est-ce que tu apporteras une lampe de poche?

BLANC

Answers:
Non, je n'ai pas de sac à dos.
Oui, j'ai un sac de couchage.
Je prendrai deux couvertures.
Oui, j'apporterai une lampe de poche.

Conversation 2

Questions:
As-tu déjà un passport?
Est-ce que tu visiteras la France?
Est-ce que tu iras au Portugal?
Quels autres pays est-ce que tu visiteras?
Answers:
Non, je n'ai pas de passport.
Oui, je visiterai la France.
Non, je n'irai pas au Portugal.
Je visiterai aussi la Suisse et l'Italie.

Conversation 3

Questions:
Combien de fois est-ce que tu es allé(e) au Japon?
Es-tu allé(e) en Chine?
À quels autres pays es-tu allé(e)?
Answers:
Je suis allé(e) au Japon cinq fois.
Oui, je suis allé(e) en Chine.
Je suis allé(e) aussi en Corée, en Inde et au Viêt-nam.

Conversation 4

Questions:
À quelle heure est-ce que tu arriveras?
Combien de valises auras-tu?
Quels vêtements est-ce que tu porteras?
Est-ce que tu m'as acheté quelque chose? Quoi?
Answers:
J'arriverai à quatre heures et quart.
J'aurai deux valises.
Je porterai un jean et un tee-shirt bleu.
Oui, je t'ai acheté quelque chose. C'est une boîte de chocolats suisses.

Conversation 5

Questions:
Est-ce que tu iras en Espagne ou au Mexique?
Combien de temps est-ce que tu resteras là-bas?
Qu'est-ce que tu feras là-bas?
Quand est-ce que tu reviendras?
Answers:
J'irai au Mexique.
Je resterai là-bas une semaine.
Je visiterai les pyramides.
Je reviendrai le 6 août.

Conversation 6

Questions:
Est-ce que tu m'écriras?
Est-ce que tu me téléphoneras?
Qu'est-ce que tu m'achèteras?
Answers:
Oui, je t'écrirai.
Non, je ne te téléphonerai pas.
Je t'achèterai un tee-shirt.

Conversation 7

Questions:
À quelle heure est-ce que tu te lèveras?
Comment est-ce que tu iras à l'aéroport?
À quelle heure est-ce que tu arriveras à Montréal?
Combien de temps est-ce que tu resteras au Canada?
Answers:
Je me lèverai à six heures.
J'irai à l'aéroport en bus.
J'arriverai à Montréal à huit heures vingt.
Je resterai trois jours au Canada.

Conversation 8

Questions:
Quelle voiture est-ce que tu achèterais?
Qu'est-ce que tu achèterais à ta famille?
Où est-ce que tu irais pendant les vacances?
Answers:
J'achèterais une Ferrari.
J'achèterais une maison.
J'irais en Afrique pendant les vacances.

Échanges

Échanges 1

Answers will vary.

Échanges 2

Answers will vary.

Échanges 3

Answers will vary.

Tête à tête

Answers will vary. Sample answers:

Activité 1 À l'agence de voyages

Élève A
a. Je m'appelle Marcel Lajoie.
Je désire aller à Genève.
Je veux voyager en avion.
Je veux un aller et retour.
Je veux voyager en touriste.
Je veux partir mardi.
b. Anne Aucoin
Québec
train
aller simple
première
vendredi

Élève B (sample answers)
a. Marcel Lajoie
Genève
avion
aller et retour
touriste
mardi
b. Je m'appelle Anne Aucoin.
Je désire aller à Québec.
Je veux voyager en train.
Je veux un aller simple.
Je veux voyager en première.
Je veux partir vendredi.

Activité 2 Voyage à l'étranger

Élève A
a. Je visiterai le Danemark. Je serai au Danemark le 3 juillet.
Je visiterai l'Italie. Je serai en Italie le 10 juillet.
Je visiterai l'Allemagne. Je serai en Allemagne le 17 juillet.
Je visiterai le Luxembourg. Je serai au Luxembourg le 25 juillet.
b. le Mexique — le 4 août
l'Argentine — le 11 août
le Pérou — le 20 août
le Chili — le 28 août

Élève B
a. le Danemark — le 3 juillet
l'Italie — le 10 juillet
l'Allemagne — le 17 juillet
le Luxembourg — le 25 juillet
b. Je visiterai le Mexique. Je serai au Mexique le 4 août.
Je visiterai l'Argentine. Je serai en Argentine le 11 août.
Je visiterai le Pérou. Je serai au Pérou le 20 août.
Je visiterai le Chili. Je serai au Chili le 28 août.

Activité 3 Vacances et voyages

Élève A
a. J'irai à la mer.
J'irai là-bas avec ma famille.
Je resterai à l'hôtel.
Je ferai de la planche à voile.
Je resterai quinze jours.
Je reviendrai chez moi le 15 août.
b. Dans quel pays est-ce que tu iras?
Comment est-ce qui tu voyageras?
Où est-ce que tu resteras?
Qu'est-ce que tu feras là-bas?
Quand est-ce que tu partiras?
Quand est-ce que tu rentreras?
- en France
- en avion
- aller dans les auberges de jeunesse
- voir les musées
- le 15 juin
- le 15 juillet

Élève B
a. Où est-ce que tu iras?
Avec qui est-ce qui tu iras là-bas?
Où est-ce que tu resteras?
Qu'est-ce que tu feras?
Combien de temps est-ce que tu resteras?
Quand est-ce que tu reviendras chez toi?
- à la mer
- avec ma famille
- à l'hôtel
- de la planche à voile
- quinze jours
- le 15 août
b. J'irai en France.
Je voyagerai en avion.
J'irai dans les auberges de jeunesse.
Je verrai les musées.
Je partirai le 15 juin.
Je rentrerai le 15 juillet.

Unit Test 8 Lessons 29, 30, 31, 32

FORM A

Première Partie: Compréhension

1. La réponse logique (20 points)

1. c	5. c	9. a
2. b	6. b	10. c
3. c	7. c	
4. b	8. a	

Deuxième Partie: Vocabulaire et structure

2. Quel pays (6 points)

1. la Russie	4. le Mexique
2. le Japon	5. l'Allemagne
3. l'Italie	6. les États-Unis

3. Le bon mot (14 points)

1. c	5. b	9. c	13. b
2. c	6. a	10. a	14. a
3. b	7. a	11. c	
4. c	8. c	12. b	

4. L'été prochain (14 points)

1. passerons	5. irai
2. partiras	6. verra
3. rendra	7. viendront
4. ferez	

5. Avec de l'argent (10 points)

1. voyageriez	4. partirait
2. aurais	5. loueraient
3. serions	

6. Contextes et dialogues (16 points)

A. en; le; aux; au
B. partirons; Si, louerons; seras

Troisième Partie: Expression personnelle

7. Un voyage (20 points)
Answers will vary.

FORM B

Première Partie: Compréhension

1. La réponse logique (20 points)

1. c
2. b
3. b
4. a
5. b
6. c
7. c
8. a
9. c
10. c

Deuxième Partie: Vocabulaire et structure

2. Quel pays (6 points)

1. l'Angleterre
2. les États-Unis
3. l'Italie
4. le Japon
5. l'Espagne
6. le Canada

3. Le bon mot (14 points)

1. c
2. a
3. b
4. b
5. a
6. a
7. b
8. a
9. a
10. c
11. b
12. b
13. b
14. b

4. L'été prochain (14 points)

1. voyagerons
2. partira
3. prendront
4. viendrez
5. verra
6. serai
7. feront

5. Avec de l'argent (10 points)

1. prendraient
2. habiterions
3. sortirait
4. iriez
5. aurais

6. Contextes et dialogues (16 points)

A. l'; en; en; La
B. gagnera; si; avais; voyagerais

Troisième Partie: Expression personnelle

7. Un voyage (20 points)
Answers will vary.

Listening Comprehension Performance Test

A: Scènes et situations
(40 points: 5 points per item)

1. C
2. C
3. D
4. A
5. B
6. B
7. D
8. C

B: Conversations
(30 points: 5 points per question)

1. c
2. b
3. a
4. c
5. a
6. b

C: Contexte
(30 points: 5 points per item of information)

NOM DU VOYAGEUR: Cécile Chavez
DESTINATION: Genève
JOUR: 28 mars
HEURE: 9h45
CLASSE: 2ème
TYPE DE BILLET: aller et retour

Reading Comprehension Performance Test

1. b.
2. a.
3. b.
4. b.
5. a.
6. b.
7. b.
8. a.
9. c.
10. b.

Writing Performance Test

Please note that the answers provided are suggestions only. Student responses will vary.

1. À l'agence de tourisme
(20 points: 2 per item)

Amérique du Nord et du Sud	le Mexique l'Argentine	les États-Unis le Brésil
Asie	la Corée l'Inde	le Japon le Cambodge
Afrique et Moyen Orient	le Sénégal le Liban	l'Égypte Israël
Europe	la Belgique l'Angleterre l'Irlande	l'Allemagne la Suisse le Portugal

2. Samedi après-midi
(15 points: 5 per sentence)

Cet après-midi, je vais sortir.
- J'irai dans les magasins et je ferai des achats.
- Après, je me promènerai un peu. Ensuite, je rencontrerai mes amis.
- Je rentrerai à six heures.

3. À Strasbourg (30 points: 6 per sentence)

Journée du 10 juillet
Demain nous visiterons Strasbourg.
- Nous prendrons le bus.
- Nous partirons à 8 h 30.
- Le matin, nous ferons une promenade dans la Vieille Ville.
- À midi, nous déjeunerons chez Hansi.
- L'après-midi, nous visiterons la cathédrale.
- Après, nous ferons du shopping.
- Nous reviendrons à l'hôtel à 19 h.
- Le soir, nous verrons un film documentaire sur l'Alsace.

4. Un voyage à l'étranger
(15 points: 3 per sentence)

Si je faisais un voyage à l'étranger cet été . . .
- j'irais en Espagne
- je visiterais Madrid et Barcelone
- je rencontrerais beaucoup de jeunes espagnols

5. Composition libre (20 points: 4 points per sentence)

A. Ma chère Claire,
Cet été je passerai trois semaines en France. D'abord j'irai à Paris, où je visiterai le Louvre et la cité des Sciences. Ensuite je prendrai le TGV pour aller à Tours. Ma tante et mon oncle me rencontreront à la gare, et je resterai deux semaines chez eux. Je visiterai les châteaux de la Loire et, s'il fait beau, je ferai beaucoup de promenades à vélo. Ce sera un voyage super!

B. Chère Florence,
Ce week-end nous ferons beaucoup de choses. Samedi matin, nous irons au supermarché pour faire les courses. Ensuite, nous ferons un tour à la campagne à vélo. À midi, nous nous arrêterons pour faire un pique-nique. On rentrera pour le dîner.

C. Si je gagnais le prix, je voyagerais à la Guadeloupe. Je louerais une villa avec des amis, et nous passerions beaucoup de temps à la plage. Je nagerais, et j'apprendrais à faire de la voile. L'après-midi, d'abord je me reposerais. Ensuite je ferais du sport, peut-être du tennis ou du volleyball. Le soir j'irais danser dans les discothèques. Pendant ce séjour, je mangerais beaucoup de poisson et de fruits du pays.

Multiple Choice Test Items

Leçon 29

1. c. à la mer
2. a. quinze jours
3. b. dans une tente
4. a. un réchaud
5. b. une villa
6. c. une caravane
7. a. une lampe de poche
8. b. un sac à dos
9. b. l'Espagne
10. a. voyage
11. c. continent
12. a. la
13. c. le
14. b. l'Angleterre
15. c. la
16. a. le
17. c. un billet
18. a. un aller et retour
19. b. l'horaire
20. b. le Brésil

Leçon 30

1. b. en
2. a. au
3. a. du
4. b. de
5. c. aux
6. b. reçois
7. a. reçoit
8. c. apercevons
9. a. aperçoivent
10. c. reçu
11. c. recevez
12. c. en
13. b. nager
14. a. être
15. b. à
16. c. apprendre à
17. a. de
18. c. fumer
19. b. avoir
20. c. de

Leçon 31

1. c. visiterai
2. a. voyageras
3. b. achèterai
4. c. prendrons
5. c. ira
6. a. serai
7. b. verras
8. a. feront
9. c. ferai
10. c. manges
11. a. étudierai
12. c. serons
13. b. répondra
14. b. voudra
15. c. viendront
16. c. saura
17. c. reviendras
18. a. ferons
19. c. enverra
20. c. irons

Leçon 32

1. c. irait
2. a. choisirais
3. c. achèterait
4. b. verrions
5. b. serais
6. c. voyageriez
7. a. ferais
8. b. passerions
9. b. Je voudrais te demander quelque chose.
10. c. Tu devrais m'écouter!
11. a. Pourrais-tu m'aider?
12. c. irions
13. b. achèterait
14. c. gagnais
15. a. étudiais
16. c. dormiras
17. a. donnerais
18. c. parlerions
19. c. ferais
20. b. irons